FONDEMENTS
D'UN
NOUVEL HUMANISME

FONDEMENTS D'UN NOUVEL HUMANISME

1280-1440

GEORGES DUBY

SKIRA
BOOKKing
international

PHOTOGRAPHIES

Alinari, Florence (pages 65 à droite, 66, 131 en haut, 173/174, 174 en haut à droite, 196), Alpenland, Vienne (page 147 à droite), Archives Photographiques, Paris (page 148 à droite), Maurice Babey, Bâle (couverture et pages 27, 47, 48/49, 51, 57 en haut et en bas, 58, 59, 63, 64 en haut et en bas, 65 à gauche, 81, 84/85, 111, 112, 117, 118, 119, 129, 130 en bas, 132, 136, 139, 145 à gauche, 146 à droite, 156, 160/161, 168, 173 à gauche, 188, 206, 214), Carlo Bevilacqua, Milan (pages 110, 189, 215), Henry B. Beville, Alexandria, Va. (pages 141, 158), Bildarchiv Foto Marburg (page 148 à gauche), Robert Braunmüller, Munich (page 113), Claudio Emmer, Milan (page 49), R. B. Fleming & Co., Ltd., Londres (page 145 à droite), John R. Freeman & Co., Ltd., Londres (page 26), Catherine Gardone, Dijon (page 147 à gauche), Giraudon, Paris (pages 176 en haut, 185, 209), Hans Hinz, Bâle (pages 48, 56), A. F. Kersting, Londres (pages 40 à gauche, en haut et en bas, et à droite, 99, 102, 103, 146 à gauche), Raymond Laniepce, Paris (page 185), Louis Loose, Bruxelles (pages 101, 213), MAS, Barcelone (pages 130 en haut, 159), Karl H. Paulmann, Berlin (page 42), La Photothèque, Paris (pages 23, 24, 56, 60, 72, 73, 74, 75, 76, 80, 82 en haut et en bas, 113, 114, 131 en bas, 159, 167, 207), Luigi Rossi, Brescia (pages 194, 195), Rothier, Reims (page 39 à gauche), Scala, Florence (pages 100, 137, 169), Yan, Toulouse (page 193), ZFA, Düsseldorf (page 187), des services photographiques des musées et bibliothèques suivants: Berlin-Dahlem, Staatliche Museen (page 140), Milan, Bibliothèque Ambrosienne (page 71), New York, Metropolitan Museum of Art (page 28/29), Paris, Bibliothèque Nationale (pages 26, 41 en haut à droite et à gauche, 205, 208), Rotterdam, Musée Boymans-van Beuningen (page 175), Upsala, Bibliothèque de l'Université (page 174 en bas à droite), Vienne, Kunsthistorisches Museum (page 176 en bas), et des services de documentations des Editions des Deux-Mondes, Paris (page 25), de University Press, Oxford (page 41 en bas à droite) et de l'Office national autrichien du Tourisme, Vienne (photo Theresia Schmeja, page 186).

Ce volume est sorti des presses des
IRL Imprimeries Réunies Lausanne s.a.

© 1995 by Editions d'Art Albert Skira S.A., Genève
Première édition © 1966 by Editions d'Art Albert Skira, Genève

ISBN 2-605-00035-4

Imprimé en Suisse

I

VIA MODERNA

LES MÉCÈNES [Le donateur et sa marque]
L'UNIVERS MENTAL [1. La culture chevaleresque et l'espace] [L'espace scénique italien]
RÉNOVATION DU LANGAGE [Le ton grec] [2. L'intonation latine] [Avignon et Prague]
LA DOUBLE VOIE [Le malaise de vivre] [Le triomphe de la mort]

II

IMITATION DE JÉSUS-CHRIST

LE CHRISTIANISME DES LAÏCS
LA CHAPELLE
L'IMAGINAIRE DE DÉVOTION
SURVIVRE

III

POSSESSION DU MONDE

LES MYTHES DE LA CHEVALERIE
EROS - PUISSANCE - NATURE
LA GÉNÉRATION DE 1420

I

VIA MODERNA

DES HOMMES NOUVEAUX

Pendant le xive siècle, les indices d'une rétraction se révèlent et s'accusent dans tout le corps de la chrétienté d'Occident. Le désir de croisade, en qui s'était exprimée aux âges précédents l'expansion conquérante, demeure certes aussi vif, obsédant, l'un des maîtres ressorts de la politique de l'Eglise et du comportement de tous les chevaliers. Mais il se situe désormais au niveau des mythes et des nostalgies. Entre la chute de Saint-Jean d'Acre en 1291, dernière possession franque de Terre Sainte, et la débandade des croisés à Nicopolis, en 1396, devant l'armée turque qui envahissait les Balkans, la réalité, c'est bien le lent abandon de la Méditerranée orientale. Byzance après 1400 apparaît comme une place investie, anxieuse, une sorte d'avant-poste condamné face aux pressions insoutenables des infidèles et de l'Asie. Or, si l'Europe ne se répand plus mais se replie, c'est que le nombre de ses habitants, qui n'avait cessé de croître depuis trois siècles au moins, a commencé de fléchir aux approches de l'an 1300. C'est que la grande peste de 1348-1350, et les multiples vagues épidémiques qui la suivirent, transformèrent bientôt cette régression en catastrophe. Dans les premières années du xve siècle, la population se trouve, en de nombreux pays de l'Europe, moitié moindre que cent ans plus tôt: d'innombrables champs en friche, des milliers de villages désertés et, dans des enceintes devenues trop larges, un délabrement qui gagne les quartiers de la plupart des villes. S'ajoutent enfin les agitations de la guerre. Cette puissance agressive qui, naguère, s'était déployée en dehors en expéditions de conquêtes, on la sent à présent rentrée. Elle suscite d'incessants affrontements entre les Etats, grands et petits, qui se renforcent, qui morcellent la chrétienté et qui, rivalisant, s'opposent. Partout le cliquetis des combats, dans les campagnes, autour des cités assiégées; partout des bandes armées, pillardes et ravageuses, des « routes », des *condotte*; partout les « brigands » et les « écorcheurs », ces professionnels de la guerre. Aussi, dans la période de cinquante années qui encadre l'orée du xive siècle se situe l'un des grands retournements qui ont infléchi en Europe l'histoire de la civilisation matérielle. Cette histoire s'est développée en deux amples poussées que sépare une dépression très longue: le xive siècle se place à l'ouverture de la phase stagnante, repliée, qui devait en fait se prolonger jusqu'aux approches de 1750.

Cette constatation ne suffit pas cependant pour que l'on suive ceux des historiens qui, trop sensibles à ce repli, à ce dépeuplement et à ces déchirements, étendent leur jugement pessimiste à l'histoire des idées, des croyances et de la création artistique dans la chrétienté latine. Car, incontestablement, le xive siècle ne fut pas, dans l'ordre des valeurs culturelles, un moment de contraction, mais bien au contraire de rare fécondité et de progrès. Il apparaît que les dégradations mêmes et les dérangements de la civilisation matérielle ont stimulé la marche en avant de la culture, et ceci de trois manières. Tout d'abord en modifiant sensiblement la géographie de la prospérité, et donc en établissant dans des lieux nouveaux les ferments de l'activité intellectuelle et esthétique. Les épidémies, les désordres économiques, les tumultes militaires ont durement affecté en effet certaines régions allemandes, le royaume d'Angleterre et, de manière plus cruelle sans doute que partout ailleurs, la France, c'est-à-dire le foyer privilégié de l'expansion antérieure. Mais en revanche, d'autres provinces furent presque épargnées. En Allemagne rhénane, en Bohême, dans quelques pays ibériques, en Lombardie surtout, on voit alors croître les villes, prospérer les affaires, naître de nouvelles curiosités et de nouvelles inquiétudes. Et tandis que les navigateurs de Gênes, de Cadix et de Lisbonne se hasardent de plus en plus avant sur les itinéraires atlantiques, s'amorce le renversement de l'économie européenne vers l'Océan, qui devait compenser bientôt très amplement tous les reculs méditerranéens. D'autre part, les malheurs du xive siècle, et spécialement la régression démographique, n'ont point été dans tous les domaines des facteurs d'affaissement. Ils ont favorisé une concentration des fortunes individuelles et une hausse générale du niveau de vie, et préparé de la sorte les conditions matérielles d'un mécénat plus actif et d'une vulgarisation de la culture. En fait, en ces temps troublés par l'enchaînement des calamités, tandis que la population se réduit par brusques saccades, les enrichis paraissent beaucoup moins rares qu'ils ne l'avaient été dans la sérénité et dans l'expansion du XIIIe siècle, lorsque les richesses, certes, se multipliaient, mais moins vite cependant que ne le faisaient les hommes. Voici pourquoi certaines pratiques et certains goûts, naguère réservés à l'étroite élite de l'aristocratie la plus haute, se diffusèrent alors progressivement dans des couches sociales de plus en plus larges. Qu'il s'agisse de l'usage de boire du vin ou de porter du linge, ou bien d'utiliser des livres, de parer sa demeure ou sa tombe, d'appréhender le sens d'une image ou d'un sermon, de passer commande aux artistes. Voici pourquoi, malgré la stagnation de la production et le marasme des échanges, la propension au luxe, loin de fléchir, s'exaspéra. Enfin, et surtout, l'affaissement des structures matérielles provoqua l'effritement, l'effondrement d'un certain nombre de valeurs qui avaient encadré jusque-là la culture d'Occident. Ainsi s'établit un désordre, mais qui fut rajeunissement et, pour une part, délivrance. Tourmentés, les hommes de ce temps le furent certainement plus que leurs ancêtres, mais par les tensions et les luttes d'une libération novatrice. Tous ceux d'entre eux capables de réflexion eurent en tout cas le sentiment, et parfois jusqu'au vertige, de la modernité de leur époque. Ils avaient conscience d'ouvrir des voies, de les frayer. Ils se sentaient des hommes nouveaux.

De cette impression de modernité, le destin des grandes œuvres littéraires apparues aux alentours de 1300, la seconde partie du *Roman de la Rose* ou, incomparablement plus belle, la *Divine Comédie*, porte clairement témoignage. Ces œuvres parlaient à tous; composées en langue vulgaire, destinées donc à des auditeurs qui n'étaient pas d'Eglise, elles offraient à ceux-ci la somme de toutes les conquêtes intellectuelles et de tous les savoirs de l'âge antérieur; leur intention première était d'ouvrir enfin la culture savante, la culture des écoles, la culture des clercs, aux jeunes élites de la société laïque, qui brûlaient de s'instruire. Elles connurent un immense succès et devinrent très vite l'objet de commentaires, de lectures publiques, de discussions. On les tint aussitôt pour des classiques. Par rapport à elles, par rapport au bilan de connaissances

qu'elles dressaient, au système du monde dont elles portaient l'image, les générations successives prirent progressivement leurs distances. A leur propos naquit la critique littéraire, c'est-à-dire à la fois une certaine prise de conscience esthétique et le sens du passé, le sens de l'histoire vécue, le sens du moderne. En fait, une rénovation affecta dans ce temps toutes les activités de l'esprit et du cœur. Elle s'étendit par conséquent aux attitudes religieuses: ce que l'on commençait à nommer, vers 1380, *devotio moderna*, c'était la manière « moderne » de s'approcher de Dieu. Mais essentiellement et toujours, et même dans le domaine de la prière, la libération qu'impliquait ce modernisme s'opéra à l'égard des cadres ecclésiastiques, à l'égard du prêtre. Tout en se vulgarisant, et du même mouvement, la culture européenne s'est décléricalisée pendant le XIVe siècle. Et l'art — ce fut en cela qu'il devint alors moderne — cessa, en ce tournant majeur de l'histoire matérielle et spirituelle de l'Europe, d'être avant toute chose une signification du sacré. Voici que désormais il s'offrit également aux hommes, et à des hommes de plus en plus nombreux, comme l'appel ou comme la réminiscence des plaisirs.

*

Ars nova, l'expression fut employée au XIVe siècle pour définir certaines formes de la composition musicale. Celles-ci se caractérisaient par la prolifération de l'ornement, par l'esprit de gratuité, par la recherche d'une pure délectation esthétique, par un effort, conscient ou non, pour introduire dans la musique sacrée les joies du monde. C'était en somme l'invasion du chant liturgique par l'arabesque instrumentale, par tout ce qui avait germé, printanier, dans la musique de scène d'Adam de la Halle et, bien auparavant, dans les mélodies des troubadours. C'était l'irruption dans le grand art religieux des valeurs profanes. Or, une inflexion parallèle se dessinait à cette époque dans tous les domaines de la création: pour l'architecte, le sculpteur, l'orfèvre, le peintre, et pour ceux qui les engageaient, la fonction première de l'œuvre d'art n'était plus de coopérer à cette liturgie de l'Incarnation qui, pendant le XIIIe siècle, s'était irradiée dans toute l'Europe depuis le cœur de la France, et qui se proposait de situer à leur place exacte, dans les harmonies de la création, l'Homme, la Raison et la Nature, c'est-à-dire les formes parfaites dans lesquelles Dieu se manifestait. Ces artistes et leurs mécènes, ces hommes qui se voulaient modernes, ne tenaient plus l'art, comme l'avaient fait encore les contemporains de saint Louis, et comme le firent plus tard les amis de Laurent le Magnifique, pour l'un des moyens de dissiper les mystères du monde et d'en révéler l'intime ordonnance. L'art, à leurs yeux, devenait illustration, narration, récit. Son objet : la transposition immédiatement lisible d'une histoire — ou plutôt d'histoires, celle de Dieu, mais celle aussi des chevaliers de la Table Ronde, celle aussi de la conquête de Jérusalem. Tel est bien le changement fondamental. L'artiste cessa d'accompagner le prêtre dans la célébration liturgique. Il ne fut plus l'auxiliaire d'un sacerdoce. Il se mit au service de l'homme. D'un homme avide de voir, et qui voulait que fussent représentés pour lui, non point certes la réalité quotidienne — l'art plus que jamais, disposait à l'évasion — mais ses rêves. Au XIVe siècle, la création artistique devient poursuite de l'imaginaire. Il en résulte que son propos majeur n'est plus comme naguère de créer un espace qui soit accordé à la prière, à la procession, ou à la psalmodie grégorienne, mais de montrer. Aussi la peinture, plus apte à proposer une vision, se hausse-t-elle à ce moment même en Europe au premier rang des arts.

Quant aux ressorts de cette mutation fondamentale, il convient de les chercher dans le jeu de trois mouvements conjugués. Celui de la société, dont les transformations retentissent sur les circonstances et sur les intentions de l'acte créateur. Celui des croyances et des représentations mentales, dont l'évolution modifie à la fois le contenu et la destination de l'œuvre d'art. Celui, enfin, des formes expressives. Car l'artiste, tout comme le philosophe, tout comme l'écrivain, use d'un langage qui lui vient du passé, fixé, engoncé dans les routines : il n'en parvient à vaincre les résistances que lentement, avec peine, et toujours de manière imparfaite. Il importe, en considérations préliminaires, d'analyser sommairement ces trois mouvements.

LES MÉCÈNES

Partir d'une sociologie de la création artistique se justifie: la rénovation et les libertés du XIVe siècle procèdent en effet pour une très large part des rapports nouveaux qui se sont alors établis entre les hommes. Depuis la conversion de l'Europe au christianisme jusqu'à la fin du XIIIe siècle, les ouvrages du grand art, de l'art solide qui a traversé le temps et dont nous voyons encore autour de nous les vestiges, étaient nés par l'intervention d'un milieu social homogène dont tous les membres partageaient les mêmes conceptions et le même bagage culturel, d'un groupe en tout cas fort restreint, le monde étroit des hauts dignitaires de l'Eglise. Ces quelques hommes, formés aux mêmes écoles, avaient été les véritables créateurs du grand art liturgique, et les responsables de son unité. Mais après 1280, le corps social au sein duquel se développe la création artistique s'élargit considérablement. Il devient aussi plus mobile, donc plus complexe; il se scinde en zones culturelles diverses. Voici ce qu'il convient d'examiner tout d'abord d'assez près.

A vrai dire, ce n'est pas que la condition de l'artiste se soit sensiblement modifiée à cette époque. Les artistes du XIVe siècle sont tous, ou presque, des laïcs — mais leurs prédécesseurs, au XIIIe, au XIIe siècle, l'étaient également pour la plupart. Ils sont organisés en associations de métier très rassemblées, étroitement spécialisées; substituts du groupe familial, ces corporations leur offrent des refuges, facilitent les déplacements de ville à ville, de chantier à chantier, et par conséquent les rencontres, la formation des apprentis, la diffusion des recettes de la technique; elles apparaissent aussi, comme tous les corps fermés, routinières, dominées par les hommes d'âge et fort méfiantes à l'égard des initiatives individuelles — mais déjà au XIIIe siècle existaient des confréries de maçons et d'orfèvres; après 1300, on voit simplement l'organisation s'étendre à d'autres métiers, notamment à celui des peintres. Parfois se constituent des équipes cohérentes, mobiles, des sortes de *condotte* de la conquête esthétique, animées

par un entrepreneur qui, comme Giotto, recueille les commandes, conclut les contrats et distribue le travail à ses aides — mais des compagnies de semblable structure avaient agi bien auparavant sur les chantiers des cathédrales. Au XIVe siècle enfin, de plus en plus, les grands chefs d'entreprise sortent de l'anonymat, comme le font au même moment les capitaines de guerre; ils s'imposent, on les connaît, on parle d'eux en les nommant, premier pas vers la reconnaissance d'une individualité créatrice — mais déjà les architectes des cathédrales avaient voulu signer leurs œuvres. Ainsi les seuls changements sensibles se situent-ils dans le prolongement d'une évolution séculaire, laquelle, d'ailleurs, affectait en même temps la plupart des professions artisanales. Ou bien ils concernent — ce qui constitue l'une des innovations majeures dans l'esthétique de ce temps — la promotion progressive de la peinture.

Au demeurant, ce qui importe, c'est que jusqu'à la fin du siècle, jusqu'à la génération qui parvint vers 1420 à l'âge créateur, l'artiste demeura, par rapport à son client, dans une situation subalterne. Homme de métier manuel, d'extraction modeste, il sortait généralement du petit peuple urbain. La valeur de son travail paraissait toujours fort réduite à l'égard de celle du matériau qu'il était appelé à transformer. Certes, on commence à voir, à l'orée du XIVe siècle, dans l'Europe chrétienne, des artistes célèbres, des artistes à succès que l'on se dispute et qui réussissent parfois à choisir leurs clients. Tel Giotto, le premier des grands peintres. Mais ni Giotto, ni même, cent ans plus tard, Ghiberti n'étaient libres. Ils exécutaient — en usant des multiples ressources de leur métier — mais fidèlement, en toute soumission.

On discerne cependant des changements plus marqués dans les rapports de l'artiste avec ceux qui le paient. A cette époque commence, timidement, le commerce de l'œuvre d'art. Il porte sur des œuvres réalisées à l'avance, qui sont offertes ensuite à des acheteurs éventuels, que l'on expose à l'étal des boutiques ou dont les hommes d'affaires italiens se font à travers toute l'Europe les courtiers. Les objets de ce trafic furent en premier lieu sans doute des livres, de petits ornements d'ivoire, des accessoires de la prière comme les diptyques de voyage, ou de la parure, comme les couvercles de miroir ou les coffrets à parfum. Ce furent encore des pierres tombales. Paris semble avoir été le grand marché d'un tel négoce et le lieu principal de ces fabrications (mais à Paris, en 1328, on vendait aussi des œuvres d'art importées, des panneaux peints venus d'Italie). Ce commerce ne cessa de s'amplifier. Il était favorisé par la réduction des dimensions de l'objet d'art, qui rendait celui-ci plus mobile. Il l'était de manière plus profonde — car cette réduction, en fait, ne fut elle-même qu'une conséquence — par l'évolution générale des fortunes privées, par l'émergence dans les villes d'un groupe d'hommes de plus en plus nombreux qui pouvaient acquérir des ornements, qui souhaitaient non plus seulement jouir d'œuvres d'art collectives mais en posséder qui leur appartinssent, et constituer pour eux, pour leur propre satisfaction et pour leur propre prestige, l'équivalent réduit de ces trésors que seuls, naguère, conservaient les sanctuaires et les princes. En fait, ce fut le large mouvement de vulgarisation, et à la fois de laïcisation, de la culture qui soutint l'expansion du commerce d'art.

On ne saurait en tout cas trop insister sur les modifications très profondes que l'intervention des négociants introduisait dans les conditions mêmes de la création artistique. Elle accélérait d'une part la diffusion des procédés techniques et des styles, elle multipliait les confrontations, elle précipitait les fusions esthétiques : sans l'importation des statuettes d'ivoire de facture parisienne, les sculpteurs, les peintres, les orfèvres de l'Italie centrale n'eussent pas si bien connu les formes gothiques. D'autre part, et surtout, elle libérait l'artiste. Elle renversait la relation entre la clientèle et l'exécutant, elle remettait l'initiative à ce dernier. Il convient toutefois de reconnaître que cette aire de liberté s'ouvrait aux niveaux les plus bas de l'activité créatrice. C'étaient en effet les amateurs les moins fortunés qui achetaient en boutique, et ils n'y trouvaient que la menue monnaie du grand art. Point d'invention en vérité dans ces objets de série. Ils ne furent jamais que la reproduction rapide des œuvres maîtresses. Ils redisent, et sur un ton plus vulgaire. Pour atteindre la plus large clientèle, les marchands se souciaient en effet d'abord de réduire le coût de la fabrication, en la pressant et en l'appliquant à des matériaux de seconde zone. S'agissait-il de produire au moindre prix des images pieuses, on choisissait au XIVe siècle de les tirer sur du papier par le procédé de la xylographie. Mais pour toucher, pour retenir cette clientèle plus étendue, qui se recrutait dans les milieux sociaux de moindre culture, les marchands voulurent aussi simplifier les thèmes, les rendre plus lisibles, les situer moins au plan de l'intelligence, davantage au plan de la sensibilité, étendre dans les représentations la part du récit. Vulgarisation, telle était la fonction spécifique de ce qui, dans l'art de ce temps, relevait du négoce. Le moteur des créations véritables se trouvait ailleurs, dans l'intervention du mécène.

Aujourd'hui où le très grand artiste possède plus d'argent que tout mécène possible, devient donc son propre mécène, compose et crée en complète liberté pour sa particulière délectation et comme pour son particulier usage, il faut quelque effort pour mesurer la puissance des entraves qui, au temps de Cimabue, de Maître Theodoric ou de Sluter, rendaient l'artiste captif de l'acheteur. Toute œuvre importante était alors commandée, et tout artiste lié étroitement à la volonté de son client — on serait tenté de dire : de son maître. Les liens se nouaient de deux manières. Ou bien par un contrat en bonne et due forme, passé devant notaire, concernant une œuvre bien définie. Cet engagement réciproque fixait non seulement le prix et les délais de livraison, mais la qualité du matériau, les détails de l'exécution, enfin et surtout, le thème général de l'œuvre, l'ordonnance de la composition, le choix des couleurs, la disposition des personnages, leurs gestes, leur allure. Ou bien, et dans ce cas l'aliénation se révélait plus profonde et sûrement plus durable, l'artiste pour un temps s'incorporait à la domesticité de son mécène. Il se mettait ainsi aux ordres de celui-ci, il entrait dans sa maison pour y vivre, pour y être entièrement entretenu, pour y occuper au mieux un office particulier et recevoir alors des gages. Une telle situation dépendante était recherchée par les meilleurs. En effet elle libérait des contraintes de la corporation, de l'atelier, de l'équipe. Elle promettait les profits les plus gros. Elle introduisait surtout dans les cercles les plus brillants, les plus ouverts. Elle plaçait au carrefour des modes, des recherches, des découvertes. Elle offrait l'occasion d'une réelle promotion sociale. Ce fut bien dans les grandes maisons princières que commença de poindre, au seuil du XVᵉ siècle, un certain respect pour la condition de l'artiste et pour la liberté de sa démarche. En réalité pourtant, le peintre, le sculpteur, le tailleur d'images, l'orfèvre domestique et, dans les plus grandes cours, le maître d'œuvre qui les dirigeait tous et coordonnait les activités de décoration, demeuraient pliés à la volonté d'un seigneur. Peut-on même supposer, entre l'artiste et celui-ci, l'amorce d'un dialogue? Giotto a-t-il discuté avec Enrico Scrovegni d'une composition pour la chapelle des Arènes, les frères de Limbourg ont-ils soumis à Jean de Berry leur projet pour le calendrier des *Très Riches Heures*? En fait, pendant tout le XIVᵉ siècle, le lien de domesticité, tout comme les clauses du contrat, soumettait entièrement la signification de l'œuvre d'art aux intentions, aux goûts, aux caprices du mécène.

Celui-ci, bien sûr, n'imposait à la création que ses cadres, le sujet et, dans une mesure plus discrète, la trame du langage. De ce langage, le créateur demeurait en vérité le maître. Or ce langage possédait sa vie propre et qui se développait indépendamment de toutes les contraintes du mécénat. Il faut insister sur ce fait fondamental, qui place en état de liberté, par rapport aux structures sociales, l'acte artistique, qui explique que peindre, sculpter, édifier soient, en tout temps, des opérations de découverte, des explorations de l'univers et contribuent de la sorte, comme la composition littéraire, la recherche scientifique, la réflexion du philosophe — et parfois les devançant — à imposer au public des amateurs une image renouvelée du monde. Est-il besoin d'ajouter ici qu'un champ immense demeurait ouvert ainsi à l'invention personnelle? Parmi tous ces artistes prisonniers, les génies ne manquent pas, et dans les limites que leur imposait la commande, ceux-ci usèrent très librement de leurs dons. Plus librement peut-être que ne le font aujourd'hui les artistes qui peuvent choisir eux-mêmes leurs thèmes. Mais la part du génie demeure précisément irréductible à tout essai d'analyse scientifique. Ce qui, dans l'œuvre d'art, relève d'une histoire de la société et du goût, demeurait alors fortement dépendant du client. C'est de lui donc qu'il convient à présent de s'informer.

*

A l'époque précédente, l'art avait fleuri au sein d'une société assise, aux hiérarchies stables. Les surcroîts de richesse produits par le travail paysan convergeaient vers deux aristocraties restreintes, l'une militaire et destructrice, qui gaspillait ses ressources dans la fête, l'autre religieuse, liturgique, qui, au sens le plus fort de ce terme, consacrait les siennes, les employait à célébrer la gloire de Dieu. Au point de jonction de ces deux élites se tenait la personne du roi, chef de guerre, mais oint de l'huile sainte, sacré comme un évêque. En fait, ce furent les munificences d'un roi, saint Louis, qui au XIIIᵉ siècle portèrent le très grand art à son accomplissement. Cependant à partir de 1280, cette ordonnance se désagrégea. Certes, l'esprit de largesse, la valeur maîtresse attribuée à l'offrande, au don de choses précieuses, comme double affirmation symbolique de puissance et d'humilité, continua de dominer la mentalité des riches et donc de les pousser à entretenir les artistes. Ce qui changea, ce fut la qualité des mécènes. Deux sortes de mouvements contribuèrent à la modifier.

Le premier mouvement secoua la hiérarchie des fortunes et brassa la couche sociale dominante, celle qui détenait les moyens financiers de soutenir les entreprises artistiques majeures. Il en précipita le renouvellement. La poussée ici fut double. Elle résultait avant tout de l'évolution démographique, et plus particulièrement des crises de mortalité qui se succédèrent presque partout en Europe dans la seconde moitié du siècle. Les épidémies, et d'abord la peste noire de 1348-1350, décimèrent en certains lieux les équipes d'artistes. Si l'enluminure anglaise, qui sans doute avait été jusqu'alors le grand art de ce pays, et sûrement le plus original, fléchit brusquement au milieu du siècle pour stagner ensuite au niveau le plus bas, ce fut vraisemblablement parce que les ateliers, vidés par la peste, ne parvinrent pas ensuite à se reconstituer. La mort collective a donc pu affecter parfois immédiatement la création artistique en frappant les hommes de métier. Mais cette action directe demeura, semble-t-il, le plus souvent restreinte. En fait, dans la même Angleterre, mais en d'autres domaines de l'art, où les équipes d'exécutants se trouvaient sans doute plus nombreuses et résistèrent mieux, on ne discerne aucune rupture: l'extraordinaire invention architecturale de Gloucester Abbey s'est développée en pleine catastrophe démographique. L'effet des mortalités apparaît en réalité beaucoup plus profond sur la clientèle. C'est par là qu'elles ont retenti sur les modèles de représentation imposés aux artistes, et même sur leur langage.

Si l'on considère, par exemple, la manière dont se sont exprimés les peintres de l'Italie centrale, on peut discerner aux alentours de 1350 une coupure saisissante. L'accent de dignité, d'élégance, qui avait imprégné de noblesse l'ample narration d'un Giotto ou d'un Simone Martini se dissipe alors brusquement. Une intonation beaucoup plus vulgaire lui succède, celle d'un André de Florence ou d'un Gaddi. Que la disparition brutale de certains maîtres ait bouleversé les ateliers, que cette rupture soit aussi l'écho des faillites retentissantes qui remuèrent dans Florence le monde des grands hommes d'affaires, qui ruinèrent les uns et haussèrent les autres, on ne saurait le nier. Toutefois la baisse de tension que manifestent dans la peinture l'invasion du pittoresque, de l'anecdote, la recherche de l'effet touchant, résulte sans aucun doute, et de manière décisive, d'un renouvellement subit du corps de ville. La peste de 1348, puis les épidémies périodiques qui la suivirent, creusèrent de larges trous dans les niveaux supérieurs de la société urbaine, que déjà pénétrait l'humanisme. Les vides furent comblés par la brusque ascension de parvenus. Ces nouveaux riches manquaient de culture, ou plutôt, leur culture, tout encadrée par la prédication populaire des Ordres mendiants, se situait quelques degrés plus bas. Pour s'ajuster à leur goût, les formes de l'expression artistique durent réduire leur hauteur. Ainsi, comme d'ailleurs dans toute l'Europe, après le milieu du XIVe siècle, des mouvements accélérés d'ascension sociale déterminèrent dans la Toscane du Trecento une nette régression de la sensibilité esthétique.

Ces promotions trop rapides n'étaient pas seulement l'effet des pestes. Les hasards de la guerre — quasi permanente dans l'Europe de ce temps — les favorisaient aussi. Non point que les affrontements militaires aient alors tué beaucoup d'hommes riches. Le perfectionnement constant des armures leur assurait une protection efficace et d'ailleurs, dans les combats, leurs adversaires ne souhaitaient pas, d'ordinaire, les anéantir. Ils cherchaient à les capturer vivants. Car la guerre du XIVe siècle est une chasse. C'est en fait un jeu d'argent: elle aboutit à la rançon. Tout chevalier qui se veut digne de son rang, qui par conséquent méprise la richesse et ne songe qu'à sa gloire, souhaite au fond de soi, lorsqu'il est prisonnier et qu'il doit payer le prix de son rachat, voir celui-ci estimé au plus haut par son vainqueur, car ainsi se manifeste concrètement ce

qu'il vaut. Il accepte alors allègrement la ruine. Un ample transfert de fortune suit donc toute bataille et tout tournoi. Il arrive souvent que les combattants heureux, enrichis par leurs prises, affectent à des commandes artistiques une portion de ces aubaines. Ainsi, lorsque Lord Beaverley entreprit la construction de son château de Beverston, il revenait victorieux et chargé d'or de l'une des grandes batailles de la guerre de Cent Ans. En vérité, ce seigneur anglais était déjà fort riche, et si la guerre parvient, comme la peste, à introduire dans la haute aristocratie des hommes issus des niveaux moyens de la société et de tradition culturelle moins raffinée, c'est qu'elle devient à cette époque le fait de professionnels, de capitaines de routiers, de condottieri, d'aventuriers entrepreneurs de combats. Ces gens se hâtent d'adopter les usages de la haute noblesse, et notamment ses goûts esthétiques, mais ils le font en parvenus, gauchement, et toujours de manière trop ostentatoire. Les deux poussées se sont donc conjuguées pendant le XIVe siècle, en stimulant l'ascension d'hommes nouveaux, pour altérer le goût, pour rabaisser les aspirations esthétiques. Elles ont coopéré à l'inclination d'ensemble vers le vulgaire.

L'autre mouvement n'affectait pas les destins individuels, mais tout l'ensemble du corps social. Il tendait à modifier la circulation des biens, donc à déranger l'ordre des patrimoines et à déplacer vers de nouveaux secteurs sociaux les richesses nécessaires à la pratique du mécénat. Jadis toute fortune reposait sur la terre, sur la seigneurie rurale génératrice de revenus stables, et l'on sait que les corps les mieux dotés de profits ruraux étaient précisément les grandes communautés religieuses, les monastères, les chapitres cathédraux, tous les organes ecclésiastiques qui naguère avaient suscité les plus hautes créations artistiques. Trois tendances vinrent après 1280 introduire ici le désordre. Une ample mutation de l'économie agraire perturba en premier lieu l'institution seigneuriale et priva d'une bonne part de ses ressources l'aristocratie foncière, et notamment les établissements religieux anciens. Il advint d'autre part que les Etats princiers continuèrent de se renforcer et parvinrent en particulier à construire à leur profit un système fiscal très efficace. Dans toute l'Europe de ce temps, l'impôt d'Etat s'instaure. C'est-à-dire un mécanisme qui détourne une portion considérable de la circulation monétaire et la dirige vers les coffres du prince, pour son luxe, pour les gestes de prestige auxquels il se juge tenu par sa dignité même et par la notion, elle aussi nouvelle, que chacun prend de sa majesté, enfin pour l'enrichissement de tous ceux qui le servent. De cette manière, dans la chrétienté qui se rétracte et qui s'affaiblit, peuvent pourtant rayonner d'un éclat de plus en plus vif quelques foyers de pleine opulence: les cours princières. Mais cette disposition même — et c'est là le troisième mouvement — favorisait les activités d'un certain nombre de grands hommes d'affaires, manieurs d'argent, auxiliaires des souverains pour la perception des taxes ou l'émission des monnaies et sachant en tirer profit, qui par ailleurs ravitaillaient les cours en objets de somptuosité. Dans la plupart des villes, qui se dépeuplaient, fléchirent le négoce et la banque, mais ils demeurèrent florissants dans les capitales et aux nœuds principaux des grands circuits du métal précieux et des denrées de luxe. Là, les élites urbaines, enrichies par le service, proche ou lointain, des grands princes d'Occident, prirent alors le goût de la magnificence, de la gratuité du don, tandis qu'elles accédaient au niveau de fortune et de maturité culturelle où l'homme pouvait songer à passer des commandes importantes aux artistes.

Ces transformations d'ordre économique expliquent, pour une bonne part, que l'intervention des institutions d'Eglise dans l'activité artistique se soit progressivement réduite pendant le XIVe siècle. Ruinées, exploitées, écrasées d'impôts par le pape et par les rois, désorganisées par les procédés nouveaux de recrutement et par les méthodes d'attribution des prébendes, les communautés monastiques ou canoniales cessèrent à ce moment, presque partout, de compter parmi les promoteurs des grands ouvrages artistiques. Dans la société ecclésiastique, seuls quelques institutions et quelques hommes demeurèrent actifs. En premier lieu certains Ordres religieux, les Chartreux, les Célestins, les Frères Mendiants surtout. Paradoxalement, ces Ordres étaient les plus austères. Ils se voulaient symbole et exemple de dénuement et du mépris de toute chose terrestre. Ils eussent donc dû, semble-t-il, condamner toute forme d'ornement et se montrer les pires ennemis de l'acte créateur d'œuvres d'art.

Certains agirent ainsi. Si Giotto fut contraint de réduire le programme décoratif de la chapelle des Arènes à Padoue, ce fut sous la pression des Ermites augustins, chargés de surveiller l'exécution de son œuvre, et qui lui reprochèrent de faire beaucoup de choses « davantage par pompe et vaine gloire d'intérêt, que pour la gloire et l'honneur de Dieu ». Pourtant les couvents des Ordres pauvres furent pour la plupart, dans l'art du Trecento, des foyers rayonnants. Et ceci, pour deux raisons. Etablis dans les villes ou à leurs portes, ils recueillaient en abondance les aumônes princières et bourgeoises, car les vertus de dépouillement et d'ascétisme qu'ils incarnaient attiraient vers ces corps la dévotion de tous les hommes riches, trop riches, dont l'opulence et le luxe où ils vivaient chargeaient la conscience. D'autre part, ces communautés remplissaient dans la société des fonctions majeures de célébration funéraire et de prédication, qui l'une et l'autre ne se concevaient pas alors sans un certain faste et sans le recours à l'image. De l'Eglise du XIVe siècle sortaient encore d'autres mécènes, des abbés, des chanoines, des évêques, des cardinaux surtout et des papes. Toutefois ces prélats, lorsqu'ils entretenaient des artistes, n'agissaient point comme ministres d'un culte ou comme les chefs responsables d'une communauté, mais comme des individus, animés d'un désir de magnificence personnelle. Plus nettement encore, ils se comportaient comme des princes. De l'Eglise, hormis les Ordres pauvres, ne participait donc plus à la création artistique que la part la plus mêlée au temporel, la moins liturgique, je dirais celle qui s'était déjà laïcisée. Car les évêques d'Angleterre ou de France qui poursuivirent la décoration des cathédrales, s'ils n'étaient princes eux-mêmes, étaient du moins les serviteurs des princes. La fiscalité royale faisait leur richesse, comme celle des cardinaux prenait source à la fiscalité pontificale. Des princes leur venaient à la fois les goûts et les intentions, et notamment le souci de manifester leur propre gloire en adjoignant tel ornement de marque personnelle à l'église dont ils avaient la charge. Si le pape Boniface VIII à Rome, le pape Clément VI à Avignon exercèrent de leur temps le mécénat le plus ample et le plus stimulant, s'ils encouragèrent les recherches d'un Giotto ou d'un Matteo de Viterbe, ils pensaient moins à célébrer la gloire de Dieu qu'à rendre sensible par les prestiges du monument la majesté de l'Etat autant, pour le moins, temporel que spirituel, dont ils tenaient les rênes.

De fait, ce furent les princes qui prirent alors le relais de l'Eglise dans la conduite des très grands programmes artistiques, et qui installèrent dans leurs cours l'avant-garde de la création et de la recherche. Certes, de toutes ces cours princières, les plus éclatantes et les plus puissantes étaient encore celles du pape, du roi de France, de l'empereur, c'est-à-dire de personnages sacrés qui, depuis l'aube de l'art chrétien, avaient eu pour mission d'animer les meilleures équipes d'artistes. Mais, d'une part, le XIVe siècle fut précisément le moment où, dans la conception de la puissance pontificale, impériale ou royale, les valeurs profanes commencèrent de l'emporter sur les religieuses, réduisant, chez ceux qui exerçaient cette puissance, la fonction sacerdotale, étendant en revanche la part de l'*imperium*, cette notion civile du pouvoir que les intellectuels de l'époque discernaient plus nettement à mesure qu'ils découvraient la Rome antique. Laïcisation encore. Et d'autre part, beaucoup de princes, et des plus opulents, tels ceux dont la défaillance de la personne royale fit en France, vers 1400, les entraîneurs du renouvellement de l'esthétique parisienne, le duc d'Anjou, le duc de Bourgogne, le duc de Berry — ou comme aussi tous les « tyrans » qui, dans les grandes communes de l'Italie du Nord s'étaient emparé de la *signoria* — n'avaient point reçu l'onction divine et ne sentaient plus rien en eux qui tînt du prêtre. Dans toutes les cours donc, dans ces rassemblements d'hommes et de finances, encore très voyageurs et de plus en plus ouverts sur le monde, lieux par excellence de la promotion sociale, les seuls où des gens de petite naissance pussent par les armes, par la gestion économique ou par les fonctions de chapelle, se hisser au plus haut degré de la distinction, dans ces maisons, ces grandes familles, dans toutes les cours, les intentions liturgiques cédèrent peu à peu la place aux intentions politiques, les valeurs sacrées aux valeurs profanes. Valeurs de puissance, de majesté, que dégageaient du droit romain des « légistes » formés aux Universités dans les facultés de lois, et que dégageaient des classiques latins d'autres serviteurs intellectuels formés aux Universités dans les facultés des arts. Valeurs plus éclatantes encore de chevalerie et de courtoisie, que portait et que propageait le large courant d'habitudes et de rites sociaux jaillis du moyen âge féodal.

Or, ce furent ces valeurs mêmes, universitaires et chevaleresques, que prirent à leur compte les quelques grands hommes d'affaires qui, dans la société urbaine, constituaient ici et là, en Italie surtout, la seule élite susceptible à cette époque, hors de l'Eglise et du monde des cours, d'un mécénat vraiment créateur. Car les bourgeoisies dans leur ensemble participaient en vérité encore fort peu à la conduite de l'action artistique. Leur intervention se situait à peu près toujours aux niveaux les plus bas de la création, dans les domaines de la production vulgarisée. Elle s'opérait le plus souvent aussi de manière collective, dans le cadre des innombrables confréries où se trouvait inséré l'homme des villes, et dont la vie culturelle était entièrement gouvernée par l'enseignement des Frères Mendiants, qui en dirigeaient les activités pieuses. Pour cette raison, il est fort téméraire de dire qu'il existe au XIVe siècle un art bourgeois, et même, dans l'art, des valeurs bourgeoises. C'est en se hissant hors de la bourgeoisie que le banquier ou le grand négociant devient mécène, en se reliant au milieu princier qu'il sert, ou bien, mais très rarement, et seulement dans quelques grandes cités d'Italie, en revêtant la commune, la principauté collective qu'il concourt à diriger, de la majesté, de l'*imperium* des princes, mais aussi des attributs de la chevalerie seigneuriale. Tous ces grands hommes d'affaires, et derrière eux, bien sûr, la masse du peuple, gras ou menu, étaient fascinés par les usages des cours, par ce qu'ils en percevaient, et par le double idéal de Clergie et de Noblesse que ceux-ci proposaient. Point d'« esprit bourgeois » donc, mais l'imprégnation progressive de groupes très restreints, issus de la bourgeoisie et dégagés d'elle, par la courtoisie, c'est-à-dire par les valeurs chevaleresques, et par l'humanisme, c'est-à-dire par les valeurs universitaires. Ce qui, par conséquent, ne signifie guère encore que, dans une faible mesure, vulgarisation, et dans une large mesure, laïcisation.

*

Il faut enfin mettre en évidence un dernier effet des transformations de la texture sociale. Dans tous les foyers où fut alors créé le très grand art, dans les couvents, dans les cours, dans les grandes communes urbaines, les accents nouveaux qui ont marqué l'esthétique du XIVe siècle résultaient en partie de l'importance plus évidente de la décision individuelle initiale. Qu'il s'agisse de l'achat d'un objet d'art en boutique, qu'il s'agisse de l'ordre donné à l'artiste domestique ou de l'établissement d'un contrat de commande — et ceci même lorsque le mécénat peut paraître exercé par une collectivité, par telle confrérie urbaine, par le chapitre cathédral d'York, par les Franciscains d'Assise ou par la Commune de Florence — toujours intervenaient au moment décisif le propos et le goût d'une personne. Aux tournants majeurs de sa carrière Giotto s'est trouvé face à face avec Jacopo Gaetani dei Stefaneschi, cardinal, avec Enrico Scrovegni, héritier d'un prêteur sur gages. Seul à seul. Et non point, sans doute, avons-nous dit, pour un dialogue. L'artiste était en fait presque toujours au service d'un seul homme, et d'un homme dont la personnalité se trouvait beaucoup plus affirmée qu'autrefois, qui se sentait beaucoup plus libre de ses goûts. Cette liberté, cette libération d'une individualité, celle du client et non celle de l'artiste, représente encore l'une des faces du modernisme.

De ce qu'elle ne procède plus de la volonté d'une communauté mais d'une personne découlent certains des caractères essentiels qui commencent alors à marquer l'œuvre d'art. Celle-ci, d'abord, apparaît, beaucoup plus nettement que jamais, comme l'objet d'une appropriation individuelle. Privée — et aussi bien lorsqu'elle est publique, lorsqu'elle est offerte à tous, comme l'est un vitrail ou comme la statue d'un portail — elle porte toujours une empreinte, un signe quelconque, qui témoigne qu'elle fut créée pour tel ou tel. La prolifération partout du symbole héraldique, l'invasion progressive de l'image de piété par la figure du donateur qui en a fait offrande pour son propre salut et pour celui des siens et, dans ces effigies, la poursuite de la ressemblance, constituent autant de manifestations de la mainmise du mécène sur l'œuvre dont il a provoqué l'apparition. Et comme cet homme ne perd jamais de vue sa propre gloire, et d'autant moins qu'il sort de plus bas, comme sa commande lui semble faite pour

révéler à tous l'ampleur de sa réussite, il propose d'ordinaire à l'artiste des matériaux, des formes, des dispositions ostentatoires. Parce qu'elle naît désormais d'une décision personnelle, l'œuvre d'art au XIVe siècle cherche plus volontiers l'effet. Elle est aussi plus souvent de petite taille, afin d'être plus aisément possédée. Le livre enluminé, l'ornement d'orfèvrerie, l'objet de trésor, le bijou, construits de matières très précieuses comme des condensés de faste et de fortune, et que l'on peut tenir enfermés dans ses mains, répondaient plus parfaitement que la voûte d'une nef ou qu'une statue monumentale au goût d'une société qui libérait alors ses jouissances esthétiques des contraintes collectives. Enfin, sur la plupart de ces objets se trouvait imprimée plus profondément la marque d'un tempérament. Celui toujours du donateur, qui cherchait la singularité, qui voulait révéler par tel détail particulier du thème les traits de sa personnalité. Celui parfois de l'artiste. Car les mécènes ne sortaient pas tous de l'Eglise, comme autrefois; ils n'étaient donc plus aussi souvent des intellectuels, leur pensée moins vigoureuse ne poussait pas aussi loin la conception du thème dont ils commandaient l'exécution: elle laissait un champ moins restreint que naguère aux initiatives de l'exécutant et à sa propre sensibilité. De la sorte, la création artistique gagnait en diversité. De surface au moins, car en profondeur, le tempérament personnel du client, comme celui de l'artiste, demeuraient gouvernés, d'un bout à l'autre de l'Europe et dans tous les milieux, par quelques modèles culturels communs.

LE DONATEUR ET SA MARQUE

Lorsqu'en 1339, Jeanne d'Evreux, veuve du roi Charles IV de France, décida, pour le salut de son âme, de faire une aumône à l'abbaye royale de Saint-Denis, elle souhaita que sa piété s'exprimât par une image votive de la Vierge mère. La sculpture monumentale avait depuis longtemps imposé le thème de Marie debout portant l'Enfant. La reine voulut seulement qu'un geste plus caressant de Jésus accentuât sur cette effigie l'esprit de tendresse de la dévotion franciscaine. Elle voulut surtout que ce don royal fût un objet de matière très précieuse. Dans le vermeil, les orfèvres de Paris exécutèrent donc une transposition réduite de la grande plastique. Ils placèrent la statuette sur un socle, dont les émaux translucides représentent, scène après scène, le drame de la Rédemption, et qui résume sobrement l'architecture des chapelles. Le signe d'appropriation est ici discret : une simple inscription publiant le nom et la qualité du donateur, et la date précise de son offrande.

Presque à la même époque, messire Geoffroy Luttrell of Inharm fit orner un livre d'oraison, l'un de ces psautiers qui, dans la vie de piété de l'aristocratie anglaise, remplissaient le rôle que tenaient en France les livres d'heures. Sur l'une des pages, il apparaît en personne, et comme en parade. Il s'est fait représenter dans sa puissance, sous les apparences un peu frustes du pouvoir chevaleresque, dans la posture cavalière qui le prépare pour la joute, mais qui le transforme aussi en saint Georges. De belles dames le suivent ; elles signifient qu'il est aussi modèle de courtoisie. Sur l'écu, le symbole héraldique célèbre sa gloire et celle de sa maison.

Les héritiers du prince très fastueux que fut Jean Galéas Visconti, duc de Milan, commandèrent en 1402 pour ses funérailles un éloge funèbre à l'humaniste Pietro da Castelletto. Michelino da Besozzo, pictor eccellentissimus inter omnes pictores mundi, *en décora le texte. Le peintre transfère ici la figure du défunt dans l'irréel des arabesques courtoises. Il le montre agenouillé en costume de souveraineté, et les rayons de gloire qui émanent de la Vierge à l'Enfant le pénètrent. Jésus lui-même pose sur son front la couronne des élus. La duchesse, en robe brodée, le cierge à la main, dans l'attitude des cortèges funèbres, se mêle aux jeunes élégantes qui forment, pour cette fête de couronnement, l'escorte de Marie. Le fond d'or enveloppe la scène d'une atmosphère un peu mystérieuse, celle des chambres obscures et tendues de merveilles où les princes enfermaient leur trésor. Les anges brandissent sur des pennons les multiples insignes qui manifestent, dans le langage de l'héraldique, la puissance que le seigneur détenait sur la terre.*

A la fin du siècle, les donateurs affirment plus résolument leur présence en des représentations monumentales qui s'incorporent à l'édifice et qui viennent occuper la place réservée jadis aux images des saints. Ils veulent aussi qu'on les y reconnaisse. Le portrait confère l'immortalité à leur être charnel; sa fidélité tient lieu désormais de marque d'appropriation. A la cathédrale d'Evreux, sanctuaire particulier de la famille royale de Navarre, le comte Pierre de Mortain offrit une verrière vers 1395. On l'y voit présenté à la Vierge par saint Pierre, le protecteur de sa personne, et par saint Denis, le patron des rois de France dont il était fier de descendre. Il est en armes, ceint de l'épée et décoré des éperons d'or de la chevalerie; sur le bliau qui revêt sa cuirasse figurent les emblèmes de sa race. Mais c'est le visage qui proclame l'identité de cet homme en prière. Il le faut donc ressemblant. Ce qui conduit l'artiste à transposer sur le verre le dessin en grisaille des décorateurs de livres.

Robert de Naples dédie son offrande au saint de la famille, à celui dont les mérites ont honoré toute la race des rois angevins et qui du ciel veille spécialement sur elle. Le prince vivant glorifie le parent mort; il en fait un souverain plus puissant que lui-même; le siège épiscopal devient un trône royal; aussi somptueux que celui du roi Robert, un manteau masque presque sur le corps de Louis la bure de la pénitence. Des anges couronnent le saint; le saint couronne le donateur: la chaîne de médiations ne pouvait être plus simplement figurée. Ce sont encore les vieilles hiérarchies de la culture liturgique que montre ici ce panneau. Certes, les deux personnages, celui du temps présent et celui qui s'est établi dans l'éternité, apparaissent-ils côte à côte sur l'estrade qu'a dressée Simone Martini; on sent bien cependant qu'ils n'appartiennent pas au même monde. Tandis que, à l'époque où peignait le Maître de Flémalle, l'illusion picturale avait fait tant de progrès que le tableau était devenu fenêtre, porte ouvrant sur un univers aussi vrai que celui de chaque jour; dans un même espace et par la même atmosphère, les êtres surnaturels et les donateurs s'y trouvent intimement réunis. Dans le triptyque de l'Annonciation, ces derniers sont relégués dans la cour, à la porte de l'admirable logis de la Sainte Famille; ils se font très humbles; la présence de ces comparses timides reste pourtant indiscrète et gênante. A vrai dire, c'est à ce moment même que la figure de l'homme vivant, qui avait envahi l'art religieux du Trecento, se retire peu à peu de la peinture sacrée. Mais c'est pour s'établir, souveraine, dans le portrait, dont le règne juste alors commence.

LA VIERGE ET L'ENFANT - STATUETTE EN VERMEIL DONNÉE PAR JEANNE D'ÉVREUX A L'ABBAYE DE SAINT-DENIS - 1339.
PARIS, MUSÉE DU LOUVRE.

VIERGE A L'ENFANT ET L'ÉVÊQUE BERNARD D'ABBEVILLE - VITRAIL - VERS 1268. CATHÉDRALE D'AMIENS.

PIERRE DE NAVARRE, COMTE DE MORTAIN, AGENOUILLÉ DEVANT LA VIERGE - VITRAIL - VERS 1395. CATHÉDRALE D'ÉVREUX.

PSAUTIER LUTTRELL: SIR GEOFFROY LUTTRELL EN ARMES - VERS 1335-1340.
LONDRES, BRITISH MUSEUM, MS. ADD. 42130, FOLIO 202 VERSO.

MICHELINO DA BESOZZO (CONNU DE 1388 A 1442): COURONNEMENT DE JEAN GALÉAS VISCONTI, DÉTAIL - MINIATURE DE
L'ÉLOGE FUNÈBRE DE JEAN GALÉAS VISCONTI PAR PIETRO CASTELLETTO - 1403. PARIS, BIBLIOTHÈQUE NATIONALE, MS. LAT. 5888.

SIMONE MARTINI (VERS 1285-1344) - SAINT LOUIS DE TOULOUSE COURONNANT ROBERT D'ANJOU - 1319-1320.
NAPLES, MUSÉE NATIONAL DE CAPODIMONTE.

27

MAÎTRE DE FLÉMALLE (ACTIF, 1415-1430) - TRIPTYQUE DE L'ANNONCIATION (RETABLE DE MÉR

1420. NEW YORK, METROPOLITAN MUSEUM OF ART, THE CLOISTERS COLLECTION.

L'UNIVERS MENTAL

Problème difficile, et sans doute même impossible à résoudre, que celui des rapports véritables entre le mouvement intellectuel, l'évolution des croyances, les transformations des mentalités collectives et, d'autre part, les inflexions nouvelles dont la création artistique est le lieu. Le poser pour le XIVᵉ siècle, c'est se prendre d'emblée à tout un réseau d'incertitudes. Car les liaisons furent alors de toute évidence beaucoup moins directes qu'elles ne l'avaient été au XIᵉ, au XIIᵉ, au XIIIᵉ siècle encore, lorsque les seuls créateurs du grand art étaient des hommes d'études. Il est clair que Saint-Denis est une traduction immédiate de l'idée que Suger se formait de l'univers. Les maîtres d'œuvre de l'abbatiale avaient reçu de Suger des consignes précises, et l'on discerne assez bien ce que celui-ci avait dans l'esprit. Il s'en est lui-même expliqué, et l'on peut aisément vérifier qu'il a construit et orné la basilique comme il eût construit et orné une homélie, comme il a construit et orné l'*Histoire de Louis VI le Gros*, en puisant au même répertoire de symboles, en jouant sur les mêmes harmonies arithmétiques et rhétoriques, en suivant semblablement les démarches du raisonnement analogique. En revanche, s'il est indéniable que le *Jardin de Paradis*, ou telle autre page des *Très Riches Heures*, traduit aussi la vision du monde de Jean de Berry, les mécanismes de la translation sont ici beaucoup plus obscurs. D'abord parce que les attitudes mentales d'un prince des fleurs de lys en 1400 se laissent beaucoup moins aisément découvrir que celles d'un abbé bénédictin du XIIᵉ siècle. Par ailleurs et surtout, la traduction s'est opérée par l'entremise de maintes médiations subtiles.

Sans doute beaucoup d'œuvres d'art du XIVᵉ siècle ont-elles été délibérément conçues comme les représentations visuelles et lisibles d'un corps de doctrine. Ce fut le cas de tout l'ensemble des images de propagande intellectuelle, et notamment d'un grand nombre de peintures exécutées sous l'influence de l'Ordre dominicain. A des spectateurs de culture moyenne, le *Triomphe de saint Thomas d'Aquin* peint par André

de Florence en la chapelle des Espagnols à Santa Maria Novella, le même *Triomphe* peint par Traini pour l'église Sainte-Catherine de Pise, ont proposé, non point certes une figuration de la philosophie thomiste qu'il s'agissait de réhabiliter, mais du moins un schéma simple, très aisément déchiffrable, et pour cela fort efficace, situant de manière rassurante cette philosophie dans un système de connaissances, par rapport aux « auteurs », à Aristote et à Platon, à saint Augustin et à Averroès, et par rapport à la sagesse divine. Des œuvres aussi strictement dirigées restèrent cependant assez rares. Les nouvelles formes du mécénat ne favorisaient pas autant que jadis l'intervention directe des professionnels de la pensée. Aussi, dans la plupart des cas on ne saurait découvrir mieux qu'un simple accord entre la réalisation de l'artiste et, à tel ou tel niveau mental, selon la situation sociale du donateur, une certaine conception du monde. Encore, dans ce qui se trouve exprimé, s'agit-il moins d'une pensée, d'une croyance ou d'un savoir que de valeurs conjointes à des habitudes, à des rites, à des interdits sociaux. Par l'effet des mouvements associés de vulgarisation et de laïcisation, l'art du XIVᵉ siècle se soucie moins d'instruire, d'exposer des dogmes ou des conceptions intellectuelles; il est davantage le reflet de modèles culturels proposés, comme signe et comme justification de leur supériorité sociale, aux hommes plus nombreux et d'origines beaucoup plus diverses qui se croient membres d'une élite et qui, comme tels, passent commande aux architectes, aux sculpteurs et aux peintres.

Pour tous, répétons-le, pour les prélats comme pour les princes et pour les grands banquiers, ces modèles culturels étaient identiques. Ils s'ordonnaient par rapport à deux pôles, à deux types exemplaires de comportement et de sagesse: celui du chevalier et celui du clerc. Depuis l'émergence d'une culture chevaleresque, c'est-à-dire depuis la fin du XIᵉ siècle, ces deux figures d'accomplissement humain n'avaient cessé de s'opposer. Nombre d'œuvres littéraires du XIVᵉ siècle s'organisaient encore, comme le *Songe du Verger*, en dialogues, en diatribes, entre le représentant de Clergie et le représentant de Chevalerie, défendant l'un et l'autre principes et idéal divergents. Toutefois, l'une des nouveautés de l'époque réside précisément dans le rapprochement de ces deux cultures. Divers mouvements poussaient à une telle rencontre, et d'abord certains changements dans les structures sociales. On voit au XIVᵉ siècle se multiplier les hommes qui participent à la fois à l'une et à l'autre formation. Des clercs qui, plongés dans les activités profanes, contractent peu à peu des habitudes mondaines, codifiées naguère pour les seuls hommes de guerre, et d'autre part, des *milites litterati*, des chevaliers « lettrés », c'est-à-dire capables d'accéder à un savoir livresque et curieux de culture savante. Les cours princières, où les mêmes missions étaient indifféremment confiées à des clercs et à des chevaliers, dont on attendait par conséquent des compétences comparables, furent encore une fois le lieu privilégié d'une telle rencontre. Ce fut là en particulier, pour le divertissement des princes, et de manière plus profonde et plus large, pour « profiter à leurs sujets » (car une telle divulgation apparaissait maintenant comme l'une des fonctions majeures de l'autorité princière), que fleurit alors toute une littérature, fort expressive de la convergence des deux cultures. Ces livres écrits pour être lus s'adressaient à des lettrés, mais non point cependant aux seuls clercs. Ils ne parlaient donc pas latin, mais la langue vulgaire, et diffusaient pourtant le savoir des écoles.

Ceux de ces livres qui manifestent le plus clairement l'ouverture progressive de la culture courtoise aux connaissances scolastiques sont les traductions, innombrables. A Paris, l'effort qui tendait à mettre à portée des hommes de formation et de vocation chevaleresques les textes latins des « auteurs » de l'école avait pris son départ à l'extrême fin du XIIIᵉ siècle dans l'entourage même du roi de France. Lorsqu'on voit adapter alors pour Jean de Brienne le traité militaire de Végèce sous le titre significatif *L'art de chevalerie*; lorsqu'on voit Philippe le Bel faire traduire la *Consolation philosophique* de Boèce; son épouse, une somme de rhétorique amoureuse composée en latin deux générations plus tôt; sa bru, les *Métamorphoses* d'Ovide, on discerne la triple orientation du courant qui s'amorce. Pour le roi, parce qu'il se sent toujours d'Eglise, les textes de morale sacrée; pour le grand seigneur, fleur et modèle de la chevalerie, les traités techniques de la science des armes; pour les dames, les codes d'amour courtois et leurs meilleures références classiques. Et lorsque dans les mêmes perspectives, le mouvement s'amplifia largement après le milieu du XIVᵉ siècle autour du roi Jean le Bon, autour de Charles V et de ses frères, il introduisit un peu de l'œuvre de Tite-Live, de Pétrarque, de saint Augustin, de Boccace, d'Aristote, des maîtres de l'Université qui avaient décrit les « propriétés des choses » et scruté les mystères du monde physique, dans le système de représentations culturelles commun aux chevaliers et aux dames de la cour de France. Petitement certes, en surface, par bribes grossières, par les fragments qui se trouvaient les moins mal accordés aux pensées et aux curiosités des gens du monde. Il s'agissait bien, cependant, d'une conquête, et considérable. Encore faut-il remarquer qu'un autre cheminement marchait à la rencontre de ce progrès.

En effet, aux approches du XVᵉ siècle, dans cette même cour des Valois et dans le groupe de maisons princières qui gravitaient autour d'elle, parmi les membres du personnel intellectuel sortant des universités et relevant donc de Clergie, se formait un petit noyau d'humanistes. Il se rassemblait autour de quelques personnalités dominantes, autour de ceux qui remplissaient auprès des princes l'office de secrétaire. Cette fonction était nouvelle à Paris. Mise au point cinquante ans plus tôt à la cour des papes d'Avignon, elle se répandait dans toutes les capitales politiques de l'Europe ainsi que dans les républiques urbaines d'Italie. Puisque le secrétaire était d'abord le rédacteur des écrits princiers, il lui fallait connaître parfaitement le latin le plus pur, donc fréquenter assidûment les classiques. Et puisque sa charge et ses préoccupations étaient devenues strictement temporelles, il se trouvait conduit à considérer les textes latins profanes d'un regard à la fois critique et esthétique, à ne plus traiter leur lecture en exercices préparatoires à la pratique liturgique ou à l'interprétation de la parole de Dieu, à voir en eux des modèles d'action politique, les témoins d'une histoire humaine dont la profondeur chronologique commençait d'être perçue, à les tenir surtout pour des sources de joie et des exemples de vertus profanes. Ainsi, à ce niveau très élevé, un tel changement d'attitude, et toutes les modifications qu'il impliquait dans les méthodes d'éducation et de formation intellectuelle, entrouvraient la voie à la désacralisation radicale de la culture ecclésiastique.

Ceci se produisait au moment même où quelques-uns des textes sur lesquels s'était fondé jusqu'ici le seul enseignement des clercs, se répandaient sous une forme adaptée dans la haute société mondaine. Dans le milieu privilégié des cours princières, pierres angulaires de l'édifice social de ce temps et modèles fascinants pour toutes les élites ecclésiastiques ou urbaines, les mouvements de laïcisation et de vulgarisation s'associaient donc pour rapprocher, dans le quotidien des relations humaines, les attitudes mentales du clerc et du chevalier. Cependant que s'opérait une rencontre plus intime encore par le jeu des modifications internes que subissait alors chacun des deux modèles culturels.

*

Pour la culture chevaleresque, il s'agit moins à vrai dire d'une transformation que d'une affirmation. Elle se fixe, elle prend du style, et par là de la puissance persuasive, qui l'impose, qui la fait rayonner, qui diffuse largement sa valeur centrale, valeur de joie et d'optimisme. Ce fut au XIVe siècle que triompha l'esprit de chevalerie. Il y avait certes bien longtemps que les divers éléments dont se composait la figure idéale du parfait chevalier, telle que la proposaient les romans et les chansons courtoises, s'étaient constitués et réunis. Les premiers, les plus profondément enracinés, se trouvaient déjà établis au cœur de la conscience noble à l'orée du XIe siècle en France, au moment où s'était instaurée la forme de société que l'on appelle féodale. Cette assise primordiale consistait en vertus strictement masculines et militaires, de force, de vaillance, de loyauté envers le chef librement choisi. Autour d'elle s'ordonnait la prouesse, la preuve de courage et de maîtrise technique, qui définit la perfection chevaleresque. Au centre de la culture profane brille encore au XIVe siècle la joie de combattre, de vaincre, de dominer, de s'affirmer dans sa puissance conquérante.

Un second ensemble de valeurs était venu s'adjoindre, lorsque, dans la très haute société, la condition féminine avait commencé de sortir de son abaissement — ce qui s'était produit aux environs de 1100 dans le sud-ouest du royaume de France. Dans le cercle des hommes de guerre, il avait fallu faire place d'abord à l'épouse du seigneur, à la dame. De nouvelles convenances s'étaient de ce fait imposées, les règles de la conduite courtoise auxquelles tout chevalier soucieux de sa gloire et de son honneur

dut désormais se plier. Alors fut inventée cette forme nouvelle de relations entre les sexes qu'est l'amour d'Occident. La guerre et l'amour. Je choisirais volontiers, pour définir la culture chevaleresque, le titre d'un recueil de madrigaux, *Canti guerrieri e amorosi* composés par Monteverdi — ce qui manifeste aussi que ses prestiges ne s'étaient point encore éteints à l'âge baroque. En effet, cette culture d'une part s'exprima surtout par des chants, chansons de geste ou chansons d'amour; d'autre part elle se révéla avant tout comme une stratégie. Qu'il faille réduire le combattant adverse, qu'il faille attirer puis retenir l'amour de l'épouse d'autrui. En vérité, en l'un et l'autre cas, cette stratégie fut conçue presque à l'origine, et s'affirma de plus en plus, comme un jeu; un jeu réglé, qui divertit, mais dans l'honneur, c'est-à-dire dans le strict respect d'un code.

Précisément ce code avait achevé de se former dans la seconde moitié du XIIe siècle. Aux générations suivantes, une littérature surabondante en répandit les stipulations parmi tous les hommes qui voulaient en Europe se tenir au-dessus du commun. Cette littérature avait produit ses chefs-d'œuvre avant 1200. Alors avaient surgi les personnages exemplaires des mythes chevaleresques, le roi Arthur ou Perceval. Cependant leur plein succès et leur action en profondeur sur les attitudes communes latent du XIVe siècle. Dans ce moment de l'histoire culturelle de l'Europe, le récit de chevalerie est l'agent d'une véritable intoxication dans l'ensemble de l'aristocratie. Il enserre le comportement de parade de cette classe dans un système de rites de plus en plus figés, qui ont avec les conduites spontanées de moins en moins de coïncidences. La réalité du Trecento, c'est la guerre sauvage, ce sont les incendies, les viols et les étripades au couteau, c'est le monde retranché derrière des bastilles hérissées de lances qu'environne une campagne dépouillée et déserte, telle qu'en dresse magnifiquement le spectacle Simone Martini, en arrière-fond de la figure du condottiere. Celui-ci pourtant se veut chevalier: il plastronne au milieu des combats en costume de fête. A Crécy, à Poitiers, à Azincourt, les seigneurs français, fleur de l'aristocratie de leur temps, les meilleurs représentants de la culture chevaleresque, tinrent, pour leur plus grand dommage, à combattre courtoisement; les princes aveugles se firent attacher sur leur cheval et conduire au centre de la mêlée pour mourir dans l'honneur comme les héros de Lancelot. Et les plus sanglants chefs de routiers jouaient dans les cours le jeu d'amour pour les princesses. Au moment même où l'évolution économique commençait à ruiner les familles de vieille noblesse, à les rabaisser au-dessous de certains parvenus de la guerre, de la haute finance ou du service domestique, et à détruire les anciennes hiérarchies, on voyait se construire de celles-ci des images symboliques et vaines, mais qui maintenaient efficacement les valeurs de jeu. Tels ces ordres de chevalerie que les rois de Castille, l'empereur, le dauphin de Viennois, les rois de France, ceux d'Angleterre, et bientôt tant de princes de moindre puissance, fondèrent à tour de rôle au XIVe siècle, pour s'entourer, comme le roi Arthur, d'autres chevaliers de la Table Ronde. Le seul moyen pour les hommes nouveaux de se faire accepter dans les cercles mondains était d'afficher, dans la stratégie amoureuse et guerrière, une habileté plus parfaite et un plus parfait respect des règles. Autour de Prouesse et de Courtoisie s'ordonne la vraie liturgie de ce temps, la seule qui reçoit encore l'adhésion des cœurs, celle qui se développe dans les fêtes et les parades que sont les batailles aussi bien que les tournois et les bals nocturnes. Voici justement pourquoi, au XIVe siècle, le grand art cesse de s'ajuster à la liturgie sacrée, commence à exprimer ce cérémonial profane et, ce faisant, le fixe davantage et concourt à son succès. La plus forte nouveauté dans l'art de ce temps consiste peut-être en cette révélation fastueuse de la culture chevaleresque.

Celle-ci contenait certaines valeurs qui avaient pu très tôt établir ses liaisons avec la culture des clercs. L'Eglise en effet, dans les temps féodaux, s'était appliquée à christianiser la chevalerie, comme toutes les formes majeures des relations sociales. Parmi les vertus de l'homme de guerre, quelques-unes, la force, la prudence, pouvaient se confondre aisément avec les vertus de la théologie. Mais les ecclésiastiques avaient poussé beaucoup plus loin. La chrétienté du XIe siècle était allée, dans sa complaisance à l'égard des dominantes sociologiques de l'époque, jusqu'à sacraliser la violence agressive: la croisade est la justification chrétienne de la prouesse. Toutefois, si l'Eglise avait admis la guerre, le jeu de l'épée et béni les massacres, elle persistait à condamner la tendance dont la chevalerie et la courtoisie étaient plus que de toute autre porteuses, l'aspiration à la joie terrestre. Autant que les meilleurs des moines, le chevalier se devait de mépriser l'or et les valeurs marchandes. Mais s'il souhaitait les

détruire, c'était pour se procurer du plaisir dans le gaspillage, le luxe et la fête. Quant à l'amour courtois, adultère par principe et charnel, il n'apparaissait guère mieux que l'agressivité militaire conciliable à l'esprit évangélique. L'Eglise en tout cas avait renoncé à le sacraliser lui aussi, après quelques efforts pour faire dévier ce sentiment vers les dévotions mariales. Elle le réprouvait. Voici pourquoi, sous le voile de l'ironie dans *Aucassin et Nicolette*, violemment dans les chansons de Rutebeuf, de la manière la plus naïvement libre chez Joinville, la littérature chevaleresque du XIIIe siècle affirmait l'antagonisme foncier entre ceux qu'elle dénonçait d'une part comme papelards ou béguins, les tenants d'un christianisme tout d'austérité et de pénitence, et d'autre part les vrais chevaliers, ceux qui aspiraient à concilier les principes moins renfrognés d'une religion salvatrice avec leur amour de la vie et du monde.

Toutefois, à ce moment, par une pénétration insidieuse, les valeurs de joie de la chevalerie avaient déjà poussé leur avance au sein de la culture des clercs. Elles avaient placé dans un certain secteur du christianisme l'amorce d'un revirement fondamental. Fils de bourgeois riche, François d'Assise était, avant sa conversion, pétri d'esprit courtois. Comme tous les jeunes gens de sa classe, il avait rêvé de l'aventure chevaleresque et composé des chansons joyeuses. Lorsque, au seuil du XIIIe siècle, il choisit, tout comme un servant d'amour, la Pauvreté pour sa Dame, il pensait bien atteindre par là, selon les schémas de la courtoisie, la joie parfaite. Mieux accordé que tout autre à l'Evangile, le christianisme franciscain se veut pourtant foncièrement optimiste. Conquérant, lyrique, il propose une réconciliation de la création, il proclame la bonté et la beauté de Dieu dans l'amour des créatures. Parce qu'il ne renie rien des principes moraux du christianisme le plus exigeant, mais parce qu'il ne refuse pas non plus le monde et s'y plonge au contraire pour en faire la conquête, le franciscanisme assume en fait tout l'élan joyeux de la culture chevaleresque. Le message de saint François était trop neuf et trop bouleversant pour être admis tout entier par la hiérarchie romaine. Une bonne part s'en perdit dans le courant du XIIIe siècle, mais du moins, ce qui en subsista envahit ensuite l'univers religieux, se répandit très largement dans l'Eglise, hors de l'Ordre des Frères Mineurs, gagna la milice rivale des Frères Prêcheurs. Lorsqu'au XIVe siècle des penseurs sacrés considèrent que toute chose créée contient une parcelle du divin, et se trouve pour cela digne d'attention et d'amour, lorsque le Dominicain Heinrich Suso, dans un élan lyrique qui fait écho au *Cantique des créatures*, s'écrie, s'adressant à Dieu: « Admirable Seigneur, je ne suis pas digne de vous louer, mon âme désire pourtant que le ciel vous loue lorsque, dans sa beauté la plus ravissante, il est illuminé en sa pleine clarté par l'éclat du soleil et la multitude innombrable des étoiles lumineuses. Que les belles campagnes vous louent lorsque, dans les délices de l'été, elles brillent selon leur noblesse naturelle, dans la multiple parure de leurs fleurs et de leur exquise beauté », ils se situent, les uns et l'autre dans la droite lignée du Poverello. Mais ils se trouvent aussi, par son intermédiaire, en correspondance avec l'éthique de la chevalerie et de la courtoisie. Celles-ci ne voient plus seulement leur valeur propre s'imposer à toute la société cultivée de l'Europe, elles imprègnent en sa profondeur les formes nouvelles de la culture ecclésiastique.

*

Parmi les professionnels de la pensée sacrée, dans le monde des universitaires, l'esprit laïc s'infiltrait d'autre manière. Certes, en dehors des petites écoles civiques que les hommes d'affaires avaient fondées dans les grands centres commerciaux d'Europe pour inculquer à leurs fils les rudiments de l'écriture et du calcul, devenus nécessaires à la pratique de leur métier, enseigner, apprendre demeuraient des actes fondamentalement religieux, et les universités, des institutions ecclésiastiques. Tous les étudiants, comme leurs maîtres, étaient revendiqués comme siens par l'Eglise. Cependant, tous ne se destinaient pas à des fonctions sacerdotales. Certaines facultés formaient donc spécialement à des carrières profanes et constituaient l'étage le moins clérical de l'édifice universitaire. Celles d'entre elles où l'on lisait et commentait les textes du droit romain — c'était la spécialité des écoles de Bologne — offraient, depuis deux siècles au moins, un lieu de réflexion où le mécanisme du raisonnement scolastique pouvait s'appliquer à des problèmes strictement temporels, à ceux notamment que pose le gouvernement des hommes. Là se préparaient les instruments d'une science politique dégagée des cadres ecclésiastiques, qui proclamait la majesté suprême d'un pouvoir laïc, celui de l'empereur, et qui volontiers se tournait contre les prétentions de l'Eglise romaine à la direction temporelle du monde. Là, depuis 1200, tout un aspect de la Rome antique, ses lois, ses emblèmes, quelques-unes de ses vertus, s'était découvert peu à peu. Or, le renforcement des Etats, la nécessité de recruter des auxiliaires du pouvoir mieux formés et plus nombreux élargissaient constamment la part de l'étude du droit, et par conséquent du secteur qui, dans l'université, s'ouvrait naturellement à la pensée laïque.

Cependant, les innovations les plus substantielles se situaient au sein des facultés de théologie dans les Universités de Paris et d'Oxford, pépinières de prélats et de prédicateurs, foyers de la pensée chrétienne. La fissure décisive par où devaient s'introduire toutes les libérations de la pensée savante s'était produite en 1277. Une décision de l'autorité religieuse qui interdit alors, à Paris puis à Oxford, l'enseignement des thèses d'Averroès, le commentateur d'Aristote, condamna du même coup certaines propositions énoncées par saint Thomas d'Aquin. Elle revêtait de suspicion tout l'effort poursuivi depuis cinquante ans par les Dominicains de Paris pour assimiler au christianisme la philosophie aristotélicienne, et pour atteindre enfin à la conciliation entre foi et raison, dont tous les penseurs de la chrétienté latine avaient rêvé depuis la fin du XIe siècle. Contre cette condamnation, l'Ordre dominicain réagit. Ses chapitres généraux de 1309 et 1313 interdirent au sein du corps tout reniement du thomisme. Il obtint en 1323 la canonisation de saint Thomas. Il s'employa par tous les moyens, et notamment par l'utilisation de l'image peinte, à faire reconnaître par tous sa justification. Il y parvint en Italie, où les universités demeurèrent durant tout le Trecento fidèles à l'enseignement d'Aristote et aux méthodes traditionnelles de la scolastique. Mais, à Paris et à Oxford, la position des Frères Prêcheurs fut suffisamment ébranlée pour que la pointe avancée de la recherche théologique se transférât vers 1300 dans l'Ordre rival, celui des Franciscains.

Deux Frères Mineurs — deux maîtres anglais formés aux écoles d'Oxford, dont l'enseignement depuis longtemps mettait l'accent sur les mathématiques et sur l'observation des choses — imposèrent à la pensée chrétienne un complet renversement. Le but, jusqu'alors, avait été d'utiliser les méthodes rationnelles de la logique aristotélicienne pour élucider les mystères de la Révélation. John Duns, dit l'Ecossais, exposa que seul un nombre très restreint de vérités dogmatiques pouvait être fondé par la raison, qu'il ne fallait point s'efforcer de démontrer les autres mais simplement les croire. Après lui, Guillaume d'Ockham ouvrit vraiment la « voie moderne ». Sa pensée s'oppose de manière fondamentale à celle d'Aristote en ce qu'il considère que les concepts sont des signes et ne possèdent point de réalité, que la connaissance ne peut être qu'intuitive et individuelle, que la démarche du raisonnement abstrait s'avère donc parfaitement inutile, — qu'il s'agisse d'atteindre Dieu ou de comprendre le monde. L'homme ne peut y parvenir que par deux chemins strictement séparés, soit par un acte de foi, par une adhésion profonde de l'âme à des vérités indémontrables, comme le sont l'existence de Dieu ou l'immortalité de l'âme, soit par la déduction logique, mais appliquée seulement à ce qui, dans le monde créé, est susceptible d'observation directe.

Parce qu'elle épousait la tendance naturelle de la civilisation de ce temps à se laïciser, la doctrine ockhamiste anima, après la première moitié du XIVe siècle, toute la pensée du monde d'Occident. Or, elle proposait en fait une double évasion des contraintes imposées par l'Eglise. En affirmant d'abord l'irrationabilité du dogme, elle ménageait vers Dieu une voie qui n'était plus d'intelligence mais d'amour. Elle donnait ainsi libre cours au profond courant de mysticisme qui avait irrigué depuis saint Augustin la chrétienté latine et que les succès de la scolastique avaient endigué, le refoulant vers les cloîtres, les couvents franciscains et les petites communautés de pénitence ascétique. Le christianisme du XIVe siècle — et c'est pour cela d'ailleurs qu'il put se vulgariser si largement, s'ouvrir en plein aux faibles, aux ignorants, aux petites gens, aux femmes — se veut mystique. Beaucoup plus personnelle, beaucoup moins communautaire, cette religion se dégage de la sorte de son clergé. En effet, puisque l'acte religieux fondamental paraît maintenant s'établir dans une recherche amoureuse de Dieu, dans l'espoir d'une fusion, d'une union, de « noces » entre la part la plus intime de l'âme individuelle, entre ce « fond » dont parle Maître Eckhart, et la substance divine, puisqu'il consiste en tout cas en un dialogue secret, quel peut être le rôle du prêtre? Sa mission n'est plus autant qu'autrefois liturgique puisque le fidèle ne peut s'en remettre à d'autres de prier pour lui et qu'il doit lui-même, par degrés successifs, parvenir à l'illu-

mination intérieure, ceci au prix d'exercices personnels, d'un contact direct avec la parole de Dieu, de l'imitation quotidienne de Jésus. La mission sacerdotale n'est plus d'enseignement, d'explication. Elle se limite à la médiation et à l'exemple. Le prêtre est le distributeur des grâces sacramentelles et le témoin du Christ. Ce qui rend beaucoup plus exigeant à son égard, plus sensible à tout ce qui, dans son attitude face au pouvoir, à la richesse, à toutes les convoitises, peut paraître en contradiction avec de telles fonctions. L'ockhamisme s'offrit ainsi en caution à toutes les critiques contre ce qui inclinait l'Eglise à s'enraciner dans le temporel, à toute campagne pour réduire ses ambitions, pour condamner les clercs indignes et impurs, pour confier au pouvoir civil la discipline du corps ecclésiastique et le soin de le contenir malgré lui dans la stricte spiritualité.

Mais d'autre part, lorsque Guillaume d'Ockham proposait à l'homme de pénétrer progressivement les secrets du monde sensible en raisonnant sur son expérience, il affirmait aussi l'entière liberté de la connaissance scientifique. L'ockhamisme proclame en effet avant tout une stricte séparation du sacré et du profane. Le premier domaine, qui est celui du cœur, demeure sous le contrôle spirituel d'une Eglise purifiée. Quant au second, celui de l'intelligence, il doit complètement échapper à toute ingérence ecclésiastique. Cette doctrine implique une laïcisation de la science. Mais du même coup, elle la délivre de toutes les métaphysiques, et notamment du système d'Aristote. Tel maître parisien, Nicolas d'Autrecourt, put affirmer bientôt qu'il « existe un certain degré de certitude que les hommes peuvent atteindre s'ils appliquent leur esprit non à l'étude du Philosophe ou du Commentateur, mais à celle des choses ». Prodigieusement stimulante est ainsi la voie moderne lorsqu'elle pousse à l'observation directe, critique, délivrée de tout système préconçu, de chaque phénomène singulier. Elle convie par conséquent à figurer ceux-ci tels qu'ils sont, dans leur diversité, donc à remplacer le signe d'un concept abstrait par l'image vraie de telle ou telle créature. L'ockhamisme engage de cette manière directement vers ce que nous appelons en art le réalisme. Aussi, ne faut-il pas considérer la part de réalisme qui peu à peu, dans le cours du XIVe siècle, envahit la peinture et la sculpture comme relevant du progrès d'un illusoire « esprit bourgeois ». L'art de ce temps, répétons-le, n'est pas sorti des bourgeoisies. Ses avant-postes étaient installés dans les domesticités princières où vivaient en familiarité les plus grands artistes et les plus grands savants. Le réalisme qu'il exprime accompagne dans ses conquêtes l'aile avancée de la pensée universitaire.

Or, celle-ci se trouvait rejoindre dans son évolution propre la tendance profonde issue de la culture chevaleresque à ne plus autant négliger le monde visible, à ne point en mépriser les apparences, à les tenir pour bonnes et dignes d'attention. Dans ce qui les réunissait, les deux cultures appelaient, à une réhabilitation optimiste de la création, cette civilisation que certains prétendent effondrée et déclinante, cette société plus diverse, plus instable, et où les hommes capables de lire, de comprendre, de suivre un discours, d'analyser leurs sentiments et de mener personnellement une expérience religieuse devenaient de jour en jour moins rares. La modernité du XIVe siècle réside en grande part dans cet optimisme, dans cette attention sensible portée aux choses. Encore fallait-il inventer un langage qui parvînt à l'exprimer.

1

LA CULTURE CHEVALERESQUE ET L'ESPACE

Comme l'univers liturgique des cathédrales, l'univers de la chevalerie était celui du mythe et des rites. Les valeurs de prouesse, de largesse et de courtoisie s'incarnaient dans des exploits fabuleux, dont le roi Arthur, Charlemagne et Godefroi de Bouillon s'étaient jadis montrés les héros. Ces personnages aux vertus exemplaires ne sortaient pas du rêve; ils avaient autrefois vécu parmi les hommes. Ils n'appartenaient plus cependant à l'histoire, mais à la légende, et la mémoire de leurs actions ne se souciait point de chronologie. Ils vivaient maintenant hors du temps. Périodiquement le cérémonial de la vie de cour, les fêtes de couronnement, les joutes, les poursuites de l'amour courtois développaient les rites ordonnés qui, par des représentations symboliques, les réintroduisaient un moment dans la durée. Ces jeux les situaient également dans un espace fictif, qui n'avait point de dimensions fermes ni de limites. Au centre du mythe se trouvaient l'aventure dangereuse, la quête errante. L'une et l'autre transportaient les héros de la chevalerie, et les acteurs vivants qui momentanément mimaient leurs gestes, dans la profondeur indéterminée d'une forêt.

Parmi toutes les formes de la nature créée, la forêt offrait en effet le lieu le plus propice aux divagations de l'invention romanesque, comme aux ébats secrets des amants. Par ses lisières indécises, sa profondeur sans mesure, par ses innombrables détours, elle proposait une pénétration progressive dans le mystère ; elle abolissait toute cloison entre le réel et le charme. Au XIVe siècle, les tapisseries de verdure transformèrent donc les salles seigneuriales en halliers. Et les formes flexibles du décor sylvestre vinrent aussi s'incorporer aux murs de l'édifice et au parchemin du livre pour y disposer l'espace informel du mythe.

Autour de 1300, par les aumônes des prélats et des princes, s'achève la parure extérieure des grandes cathédrales. La pression de la culture chevaleresque triomphe alors de la logique des constructeurs. Celle-ci disparaît sous un revêtement d'ornements qui la masque et qui lui substitue la gratuité et l'irrationnel des rites de la chevalerie. Ainsi, au portail central de Reims, la scène traditionnelle du Couronnement de la Vierge s'est tout à fait dégagée des parois ; elle a renié leur stabilité ; elle se trouve emportée dans l'espace du rêve. Le mouvement naturel d'ascension des structures gothiques se libère ici des dimensions mesurables, il se prolonge, il se perd dans le foisonnement des floraisons buissonnières, en feuillages grimpant sur l'arête du gâble. Au sommet de l'envolée, porté sur les ailes des anges, le soleil lui-même devient fleur. Un tel jaillissement est celui de l'arbre des futaies. Il est celui de la lumière, selon la cosmologie franciscaine des écoles d'Oxford. C'est lui qui vient détruire, aux voûtes de Tewkesbury, à la lanterne centrale de la cathédrale d'Ely ou dans la salle capitulaire de Wells, la rigueur compartimentée de l'espace plein dont les maîtres d'œuvre du XIIIe siècle avaient trouvé les principes dans la physique d'Aristote.

L'espace illogique de la forêt, celui des évasions chevaleresques dans l'imaginaire, celui des équipées qui lançaient dans l'aventure les jeunes hommes de la société noble, en quête de rencontres amoureuses, d'une épouse, d'un établissement, ou tout simplement de la gloire, envahit aussi en Angleterre les pages des livres enluminés ; les artistes reprennent alors sans peine le langage fantastique des miniatures celtiques et saxonnes. Voici le premier feuillet d'un livre de prières orné pour Robert de Ormesby ; en illustration du Psaume CIX, l'initiale renferme encore dans un cadre ordonné et dans l'espace réglé du vitrail les images symétriques du Père et du Fils. Déjà pourtant, la fantaisie des vols d'oiseaux la pénètre, et dans la « haie » qui prolifère autour du texte, la liberté d'invention ne connaît plus de bornes. Au sein du réseau confus qui mêle aux tiges végétales une géométrie délirante, elle entrelace des fragments minutieusement observés de la vie animale. Car dans la forêt, où les chevaliers parfois rencontraient des dragons, c'étaient des biches que d'ordinaire ils allaient poursuivre.

Dans Paris cependant, la logique des Frères prêcheurs de l'Université exerçait encore trop de puissance pour que les illustrateurs de livres pussent s'aventurer aussi loin. Composé vers 1325 sous l'influence dominicaine pour la famille de Belleville, le bréviaire que décora l'atelier de Jean Pucelle livre ses marges claires à une végétation plus disciplinée. Moins envahissante, elle se limite aux modulations d'une arabesque pure. Elle s'attache à reproduire les formes exactes des plantes des jardins et des bois. Quant à la décoration de l'initiale, elle restreint considérablement la part faite aux abstractions de la lettre. L'essentiel est une scène. Elle s'encadre dans une construction aux lignes sobres, où l'air circule : cet espace est celui du grand théâtre de Giotto. Le peintre qui illustra les *Grandes Chroniques de France* a lui aussi disposé les acteurs du sacre royal sur une estrade. Mais ce sont les corps de ses personnages en grisaille qu'il fait participer, par la sinuosité de leurs attitudes, à l'univers de la forêt et des lianes grimpantes.

Lorenzo Monaco, moine camaldule, travaillait dans Florence à l'époque où Masaccio s'apprêtait à dresser sur les murs sombres de la chapelle Brancacci l'austérité de ses figures stoïciennes. Masaccio, lui, créait dans la solitude ; il parlait un langage que fort peu pouvaient entendre. Tandis que la plupart des patriciens de la ville, qui aimaient les grâces, les parures, les raffinements chevaleresques et courtois, se plaisaient à la calligraphie gothique de Lorenzo. Celui-ci savait transférer la dévotion et le drame chrétien dans les douceurs fondues et dans l'exotisme. Il fait chevaucher ses mages hallucinés, parmi le hérissement des tours et des rocailles, vers les provinces du songe.

LA CULTURE CHEVALERESQUE ET L'ESPACE

1. Le Couronnement de la Vierge, gâble du portail central – 1280. Cathédrale de Reims, façade ouest.

2. La voûte du sanctuaire de l'abbaye de Tewkesbury – 1350.

3. Cathédrale d'Ely (Cambridge): vue de la lanterne à la croisée du transept – fin du XIe-XVe siècle.

4. Salle capitulaire de la cathédrale de Wells (Somersetshire) – premier quart du XIVe siècle.

5. Grandes Chroniques de France: le couronnement de Charles VI – vers 1380. Paris, Bibliothèque nationale, Ms. fr. 2813, folio 3 verso.

6. Bréviaire de Belleville (atelier de Jean Pucelle): Saül essaie de transpercer David – vers 1325. Paris, Bibliothèque nationale, Ms. lat. 10483, folio 24 verso.

7. Psautier de Robert de Ormesby: illustration du psaume CIX – East Anglia, Norwich, 1310-1325. Oxford, Bodleian Library, Ms. Douce 366, folio 149 verso.

8. Lorenzo Monaco (vers 1370-1424): La chevauchée des rois mages (dessin). Berlin-Dahlem, Staatliche Museen.

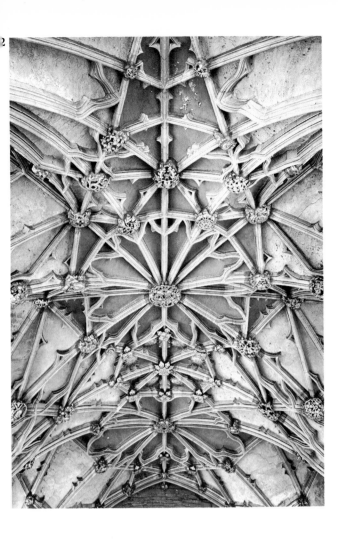

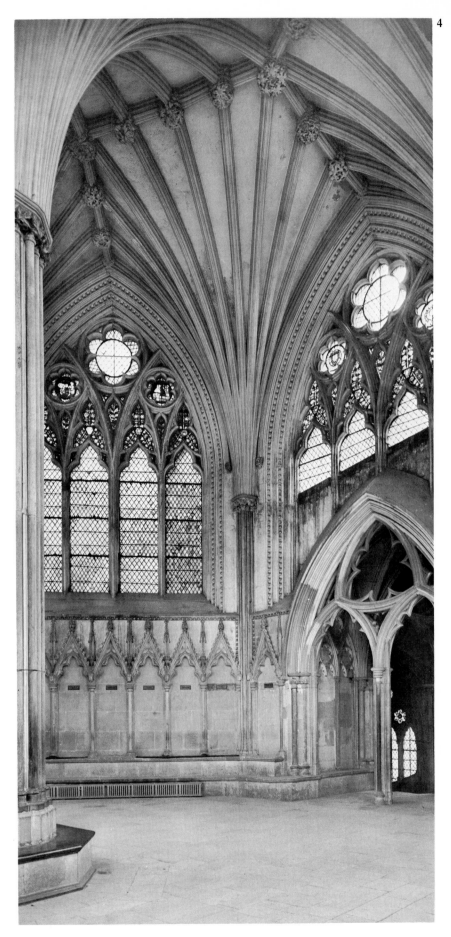

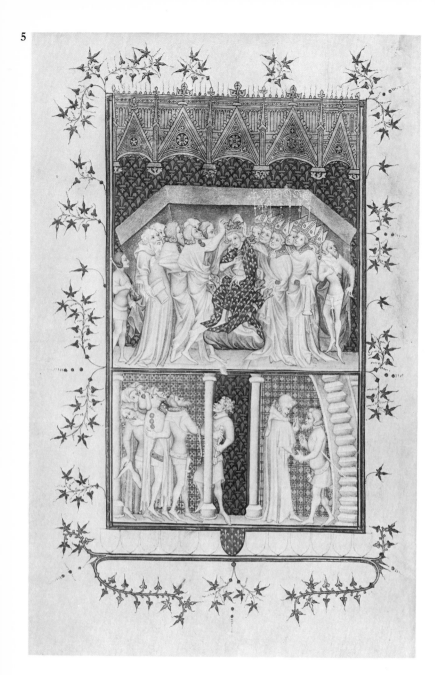

L'ESPACE SCÉNIQUE ITALIEN

A la fin du XIIIe siècle, la papauté triomphante veut apprivoiser le franciscanisme, l'incorporer aux cadres de la hiérarchie, l'utiliser. Elle réunit à Assise les meilleurs artistes de l'Italie pour élaborer, sous le contrôle des cardinaux protecteurs de l'Ordre des Frères mineurs, les thèmes visuels de sa nouvelle propagande. Il s'agit de toucher les foules, de les émouvoir, de les bouleverser. En leur montrant en premier lieu, comme le plus convaincant des spectacles, les scènes principales du drame évangélique. Cimabue donc emprunte aux icones de la Crucifixion leurs figurants hiératiques; il les anime; il en fait des acteurs farouches, et la corrosion du temps vient encore accentuer pour nous le tragique et la violence de leur déploration passionnée.

Puis Boniface VIII voulut que dans la basilique supérieure, saint François fût présenté au peuple comme le défenseur de l'Eglise romaine. Il appela Giotto, lui remit, pour les illustrer, une série de textes extraits de la version officielle de la vie du Poverello. Le peintre disposa sur les murs une suite de scènes indépendantes, isolées de l'architecture par un cadre, et composant par leur succession un spectacle ordonné. Plus tard, à Padoue, dans la chapelle des Arènes, il traita de la même manière le récit de la vie du Christ, de la Vierge et de Joachim.

A l'inverse de l'espace offert pour ses évasions à l'imagination chevaleresque, l'espace de Giotto se trouve strictement délimité. Son temps l'est aussi, coupé en phases successives. Pourtant l'espace et le temps giottesques ne se situent pas moins hors du réel. Ils sont ceux du théâtre. La logique qui construit l'espace scénique veut ménager un vide où des acteurs puissent évoluer librement, se grouper, ou bien, seuls, étendre les gestes amples de leur mimique expressive. La peinture est ainsi conviée à rendre sensible à l'œil, entre un mur de fond, qui est celui du théâtre antique, et le spectateur, la profondeur nécessaire à la représentation et au déploiement de ses rythmes. Quelques éléments de décors symboliques en établissent sobrement le champ. Ce qui importe, c'est de rendre le jeu persuasif. Elevés hors du quotidien, transférés dans l'univers solennel du drame sacré par les artifices de la mise en scène, les personnages, saint François, ses compagnons, Joachim, les bergers — comme d'ailleurs Marie et le Christ — apparaissent donc dans la vérité pleine de leur présence plastique. Des hommes vivants.

Un siècle plus tard, à Florence, l'humanisme d'un Coluccio Salutati et d'un Niccolò Niccoli commençait à toucher quelques-uns des chefs des vieilles familles. Cet esprit nouveau rejetait à la fois les effusions débridées du mysticisme et le rituel onirique de la chevalerie. Il exaltait la grandeur de l'homme dans la gravité romaine. Il proposait un christianisme aussi profond, aussi intérieur, mais plus rigide, tout dégagé des remous de l'affectivité et revêtu de l'impassibilité austère et sereine du stoïcisme. Pour la chapelle dont le négociant en soieries Felice Brancacci avait par testament, en 1422, ordonné la décoration, Masaccio revient à Giotto. Au milieu d'un espace qu'il dépouillait de tout ornement superflu et que le jeu d'un décor d'architectures établissait cette fois dans la profondeur, il installa les figures pétrifiées des apôtres Pierre et Jean distribuant l'aumône parmi les pauvres, dans les gestes majestueux et mesurés de la charité humaine.

Entre 1337 et 1339, Ambrogio Lorenzetti eut à représenter, dans la salle du Conseil civique de Sienne, les allégories du Bon Gouvernement et des Vertus qui l'assistent, avec les figures des vingt-quatre citoyens qui formaient la magistrature de la ville. Il plaça ces images sur la scène à double niveau, au demeurant fort étroite, d'un théâtre. Lui aussi voulait démontrer. Il usa donc de l'attribut symbolique et d'inscriptions explicatives. Net, l'espace ici procédait de la nouvelle pastorale de persuasion des Frères prêcheurs. Mais l'immense paysage du contado siennois qu'Ambrogio figura en contrebas de ce spectacle illusoire, n'est point enfermé, lui, dans un cadre scénique. Il refuse la clôture, aussi bien les fantaisies de chapelle qui encadraient tant d'images gothiques que les colonnettes en trompe-l'œil d'Assise. Jusqu'aux limites d'un horizon démesurément élevé et qui expulse les jeux d'atmosphère, l'espace apparaît ici plein comme celui d'Aristote. Mais il est également réel, car il est peint pour une société d'hommes d'affaires, planteurs de vignobles, qui savent la valeur du grain et des sacs de laine. Les chevaliers chasseurs n'y vont pas se perdre dans les fourrés. Chaque arbre, comme l'idée précise d'un arbre, s'isole des autres. Cet espace n'est pas celui du rêve et des rites, ni celui du théâtre, ni celui de la représentation conceptuelle des Vertus; il est l'espace de la sagesse terrestre et politique et de l'efficacité du travail. Offert à des hommes qui ont dans la cité établi des horloges pour diviser le jour en heures égales, et qui veulent voir clair dans le monde et dans leurs comptes.

CIMABUE (ACTIF, 1272-1302) - CRUCIFIXION - FRESQUE - VERS 1277. ASSISE, ÉGLISE SUPÉRIEURE DE SAINT-FRANÇOIS.

AMBROGIO LORENZETTI (ACTIF, 1324-1348) - LES EFFETS DU

GHERARDO STARNINA (VERS 1354-1413) - LA THÉBAÏDE, DÉTAIL - BOIS.
FLORENCE, GALERIE DES OFFICES.

...VERNEMENT - FRESQUE - 1337-1339. SIENNE, PALAIS PUBLIC.

GIOTTO (VERS 1266-1337) - SAINT FRANÇOIS RENONCE AUX BIENS ET LE RÊVE DU PAPE INNOCENT III - FRESQUE - 1296-1297.
ASSISE, ÉGLISE SUPÉRIEURE DE SAINT-FRANÇOIS.

GIOTTO (VERS 1266-1337) - JOACHIM PARMI LES BERGERS - FRESQUE - 1305-1306.
PADOUE, CHAPELLE DES ARÈNES (CHAPELLE SCROVEGNI).

MASACCIO (1401-1429) - SAINT PIERRE ET SAINT JEAN FAISANT L'AUMÔNE - FRESQUE - 1426-1427.
FLORENCE, ÉGLISE DU CARMINE, CHAPELLE BRANCACCI.

RÉNOVATION DU LANGAGE

Pour signifier l'invisible, la raison divine et l'ordre conceptuel de l'univers, la chrétienté latine venait de se forger un langage prestigieux et qui, de ce fait, agissait comme un frein redoutable. A Paris, au milieu du XIII⁰ siècle, les commandes de saint Louis avaient porté à sa perfection l'art de transcrire, dans la pierre et le verre coloré, la liturgie de l'Incarnation. Parvenues à leur plénitude, les formes du gothique parisien s'étaient depuis lors fixées, réduites en formules simples, si satisfaisantes qu'elles découragèrent ensuite tout effort d'invention. Elles pesèrent désormais, paralysantes. Dans les deux générations qui ont suivi l'achèvement de la Sainte-Chapelle, les artistes parisiens paraissent prisonniers d'une écriture et impuissants à l'infléchir, pour suivre dans leur cheminement les transformations des attitudes mentales au sein de la société cultivée et les innovations de la pensée. Du temps où l'on traduisait Boèce pour Philippe le Bel, où John Duns enseignait à Paris, où Guillaume d'Ockham élaborait son système, les maîtres d'œuvre, les tailleurs d'images, les verriers, les enlumineurs continuaient de proposer au regard la figure d'un univers sacralisé, celui d'Albert le Grand, de Perrotin, de Robert de Sorbon. Et le rayonnement de l'Université de Paris où venaient se former tous les professionnels de l'intelligence, l'essor du commerce des livres peints et des statuettes d'ivoire diffusaient ces formes dans toute l'Europe. Pourtant elles transmettaient du monde une conception périmée.

A l'orée du XIV⁰ siècle, des forces de renouvellement cependant s'insinuèrent. Elles venaient de deux côtés. A l'intérieur même du gothique français se dessinait une inclination, lente mais puissante, vers le maniérisme. Alors qu'ils devenaient plus sensibles aux valeurs de luxe et de joie terrestre, les mécènes incitaient au raffinement. Pour leur complaire, les artistes introduisirent dans le cadre fixé du langage gothique des éléments de préciosité, en choisissant des matières plus riches, plus flatteuses, en plaquant des ornements sur les structures claires d'une archi-tecture rationnelle, et surtout en jouant sur la ligne. Ce fut par les flexions de l'arabesque, née du cloisonnement du vitrail et du dessin pur des grandes figures monumentales, que l'esprit de jeu de la culture courtoise s'inséra, pour bientôt les rompre, dans les ordonnances de l'art liturgique. Gracieuse, gracile, l'arabesque traduisait, par le hanchement des statues ou, plus librement encore, par des végéta-tions foisonnantes aux marges des livres enluminés, les rites de l'élégance mondaine, qui supplantait peu à peu les rites de l'office divin. Répondant au mouve-ment des virolets et des caroles, aux démarches de la poursuite amoureuse, aux mille péripéties de la quête des chevaliers errants, ces modulations trans-crivaient des soucis d'élégance, la recherche joyeuse du plaisir et de l'aventure, les premières perversités érotiques de la société courtoise. Il lui appartenait d'en illustrer les rêves. Mais pour que ceux-ci fus-sent pourtant rejoints au réel, qu'ils transposaient dans la fiction poétique, il fallait que parmi les brisures et les ressauts de la ligne, tout comme parmi les brisures et les ressauts des harmonies de l'*ars nova*, on pût aisément reconnaître quelques fragments scrupuleusement observés de la réalité. Le dessin français recueillit donc l'expérience des sculpteurs qui avaient disposé au chapiteau des cathédrales les feuillages vrais des jardins et des halliers d'Ile-de-France, l'expérience aussi, plus récente, des fabri-cants de tombes que leurs clients sollicitaient de donner aux effigies funéraires la ressemblance des défunts. Pour exprimer l'imaginaire de courtoisie, les artistes de France durent manier à la fois le symbole, l'allégorie poétique et les illusions du réa-lisme. L'écriture nerveuse et maniérée qu'ils par-vinrent, vers 1320, à dégager du classicisme gothique relia, comme le langage du rêve, sur un champ d'irréel et d'insolite et par des sinuosités imprévues, des fragments évidents de vérité.

A ce moment, l'écho d'innovations plus boule-versantes leur parvenait d'Italie centrale. Cette région, dont les marchands et les banquiers tenaient dans leurs mains d'un bout à l'autre de l'Europe les plus fructueuses affaires, achevait de devenir, par la mise en place de la fiscalité pontificale et par les transformations générales de l'économie d'Occident, le lieu des plus grosses puissances financières. Ces richesses accumulées permirent l'éclosion d'un foyer de création artistique rival de Paris, et affirmant face à Paris des modes originaux d'expression. Ce pays avait, lui aussi, subi de la part des formes parisiennes une domination qu'affermissait l'importation croissante des objets français. Mais cette soumission était demeurée de surface. En Italie centrale, le fond de la tradition esthétique reposait en effet sur deux assises puissantes. L'une, constituée par l'énorme apport oriental, par la chape splendide de mosaïques et d'icones que Byzance avait déposée là, en strates successives, pendant tout le haut moyen âge et jusqu'au XIIe siècle, et qui demeurait chose vivante, rattachée à ses sources par toutes les liaisons marchandes qui unissaient alors cette province d'Europe à Constantinople, à la mer Noire, à Chypre, à la Morée. L'autre assise, plus profonde, véritable couche mère et que les hommes du pays considéraient comme leur héritage national, venait de la Rome antique, présente par tant de ruines et par de nombreux monuments toujours en plein usage. Elle venait même de plus loin encore, des profondeurs de l'âge étrusque. Soutenu par l'enrichissement du Saint-Siège et des cardinaux protecteurs de l'Ordre de saint François, que ravitaillaient en or les hommes d'affaires de Sienne et de Florence, le nouvel élan artistique tendait à se délivrer de l'influence parisienne. Il repoussait Byzance, secouant le joug réputé colonial d'une esthétique étrangère et, plongeant délibérément ses racines dans la romanité, il ressuscita, par fidélité à la patrie italienne, les formes antiques. Ce fut véritablement un mouvement de libération nationale. Giotto en est le héros. Au moment même où Dante choisissait d'écrire en toscan la *Divine Comédie*, Giotto — dit le premier critique qui ait réfléchi sur son art, Cennino Cennini, peintre florentin du XIVe siècle — Giotto changea «l'art de peindre du grec au latin». Du grec, un parler étranger, au latin, dialecte autochtone. Ce langage, à vrai dire, des sculpteurs l'avaient employé avant Giotto. Ceux qui, dès le second tiers du XIIIe siècle, avaient, pour l'empereur Frédéric II, fait resurgir en Campanie le décor des Césars, puis les sculpteurs de Pise. Pise, riche encore des fortunes conquises sur les mers orientales, Pise, étape majeure sur le chemin

qu'empruntaient les rois de Germanie pour aller à Rome recevoir le diadème, ville plus impériale que Rome même, où le pouvoir des empereurs se heurtait à celui des papes. A Pise, pour décorer la chaire du baptistère, Nicola Pisano proposa en 1260 le pastiche d'un sarcophage antique. A Pise, dans l'abside de la cathédrale, l'effigie de la ville fut dressée, près de celle de l'Empereur, en reine mère, agenouillée devant la Vierge. Et pour soutenir la chaire qu'il sculpta après 1310, Giovanni Pisano choisit encore de disposer la statue de la ville supportée par quatre Vertus, face à celle du Christ, supportée par les Evangélistes. La fierté civique s'alliait ici au dévouement à l'Empire pour susciter la résurgence de la plastique romaine.

Dans le langage artistique se révèlent donc au seuil du XIVe siècle deux intonations nouvelles. En France, c'est un accent de grâce rieuse, de souplesse fluide ou de désinvolture, celui de l'*Eros* d'Auxerre ou du *Tentateur* de Strasbourg. En Toscane, en Ombrie, à Rome même, c'est un accent plus sévère, de majesté stable, de puissance laïque. L'un et l'autre se manifestèrent d'abord dans la pierre sculptée. Mais puisque la fonction de l'art devenait ici et là de plus en plus narrative, et de démonstration visuelle, ils devaient trouver bientôt dans la peinture leurs plus amples résonances. L'un et l'autre exprimaient l'irruption des valeurs profanes. Toutefois, si les nouvelles inflexions de l'écriture gothique signifiaient seulement une lente substitution de rites, la pénétration insidieuse des manières chevaleresques et courtoises dans les cérémonials de l'Eglise et de la royauté, et l'infiltration de la joie franciscaine dans la dévotion autant que la réhabilitation progressive de la nature créée, le ton romain marquait une rupture beaucoup plus abrupte. L'Italie triomphante des princes de l'Eglise, des vicaires impériaux, des podestats, des condottieri, des prêteurs de florins, des compagnies marchandes, des cités hérissées de tours, et des collines où un immense amphithéâtre de terrasses, d'oliviers et de vignobles était en train de se construire, n'avait pas simplement adapté peu à peu son langage. Elle en avait bouleversé l'ordonnance, d'une secousse. Et ce que ses hommes d'affaires répandaient dans les grandes cours d'Europe qu'ils ravitaillaient en parures, ce qu'elle offrait aux pèlerins de Rome, aux princes de France ou d'Allemagne venus courir chez elle l'aventure heureuse, contenait les ressorts d'une poussée plus brutale de laïcisme. Ses peintres découvraient dans les modèles antiques les recettes d'un illusionnisme en trompe-l'œil qui accusait la vanité des symboles. Faites pour célébrer les grandeurs civiles, pour introduire les morts dans un au-delà redoutable mais sans mystère, les sculptures de Rome et de l'arrière-fond étrusque parlaient de la divinité de l'homme. Elles justifiaient ses conquêtes du monde, le pouvoir, la fortune. Elles l'invitaient à se relever de sa prosternation devant les prêtres. Non point encore, certes, à nier Dieu, mais à le regarder en face.

*

La langue des Pisans, de Cavallini, d'Arnolfo, de Giotto, de Tino di Camaino exprimait les espoirs des Gibelins d'Italie et la tension des grandes communes vers l'indépendance. Aussi bien servit-elle au pape Boniface VIII à proclamer la majesté du siège pontifical et sa vocation à dominer le monde comme l'avait fait l'Empire. Aussi bien servit-elle aux cardinaux qui dirigeaient l'immense chantier d'Assise à canaliser le culte de saint François, à le désarmer, à transformer le Poverello en héros de la primauté romaine. Toutefois, cette langue était trop hautaine et trop neuve. Elle n'était point entièrement intelligible à tous ces hommes nouveaux que le succès même de l'économie toscane ouvrait à la haute culture. Aux gens d'outre-monts, elle apparaissait tout étrangère. Aussi, parce que les prestiges du gothique demeuraient trop puissants, parce que l'intonation romaine ne convenait pas aux manières courtoises, parce que le mouvement de laïcisation ne se dissociait pas d'un mouvement de vulgarisation qui imposait l'usage de moyens d'expression plus familiers, moins déroutants, ce ne fut pas cette langue que le XIVe siècle occidental adopta pour exprimer sa rénovation. Les nouvelles formes artistiques qui apparurent vers 1300 en Toscane et à Rome agirent seulement comme un ferment pour hâter l'évolution du langage français, pour l'aider à se dégager plus vite de ses enveloppes liturgiques. Ajoutons que cette action stimulante n'eut même pas lieu en Italie centrale — car le transfert du siège pontifical en Avignon, la lente ruine de Pise, les échecs de la politique impériale, les soubresauts que déterminèrent dans la haute société florentine une série de désastres bancaires, les ravages enfin de la peste, réduisirent très vite les puissances de rayonnement de cette province. Elle n'eut pas lieu non plus dans Paris, où les traditions gothiques plongeaient trop vigoureusement leurs racines, mais dans quelques grandes cours princières, où les valeurs

chevaleresques se montraient plus perméables aux courants venus du centre de l'Italie. Des rencontres successives firent de ces cours autant de relais sur la voie d'un renouvellement de l'expression artistique.

Celle des princes français de Naples fut la première à jouer ce rôle. Cavallini, Tino y avaient travaillé; on peut penser que Simone Martini parvint là à enrichir son style de toutes les modulations linéaires de l'imaginaire de courtoisie. Quelque temps après, en Avignon, le pape Clément VI ouvrit le plus grand chantier de ce siècle. Des artistes venus du nord de la France et des décorateurs italiens s'y rencontrèrent. Plus qu'à Simone Martini, la cour pontificale offrit à Matteo de Viterbe la révélation des raffinements du goût chevaleresque. Ce peintre réalisa très librement, vers le milieu du siècle, la première fusion réelle de l'esthétique française et de l'esthétique toscane. Or son œuvre était exposée au plus grand carrefour du monde que visitaient tous les princes, les prélats et leur suite, lesquels en repartaient chargés d'objets d'art offerts par le pape et par les cardinaux. Au cœur du Trecento, au cœur de la chrétienté, la synthèse avignonnaise de Matteo établit le jalon central de ce parcours. Mais un peu plus tard, Charles IV, empereur, héritier des Césars, tout imprégné par le goût parisien et, comme ses proches cousins, les princes Valois de France, fastueux mécène, amoureux des pierres précieuses et des choses brillantes, attira à sa cour de Prague des artistes de Rhénanie et de Lombardie, dont les peintres tchèques recueillirent les leçons. Enfin, dans le dernier tiers du siècle, ce furent les cours des « tyrans » de l'Italie du Nord qui assumèrent principalement la fonction de synthèse. Les princes qui s'étaient approprié la seigneurie des communes urbaines, liés étroitement à la cour parisienne, se voulaient en effet les modèles de la chevalerie et de l'élégance courtoises. Comme les seigneurs du nord des Alpes, ils aimaient passionnément les chevaux, les chiens, les jeux de l'intrigue amoureuse. L'épopée, les romans, les thèmes poétiques venus de France poussaient chez eux leur dernière floraison. Mais ils percevaient mieux qu'à Paris les gloires de l'ancienne Rome; Giotto avait peint dans ce pays, et l'Italie des sarcophages était toute proche. Par la main des peintres qu'employaient pour leur librairie les seigneurs de Milan et les patriciens de Vérone, l'« ouvrage de Lombardie » perfectionna les procédés illusionnistes de l'art antique. Il enserra le rendu réaliste parmi les grâces de l'arabesque gothique.

La limite entre les deux parts de l'ancien Empire romain, la part grecque et la part latine, coupait en son milieu la péninsule italienne. Pendant tout le haut moyen âge, les empereurs de Constantinople s'étaient acharnés à maintenir l'Italie entière en leur pouvoir. Ils avaient proclamé leur puissance dans Ravenne par la magnificence du décor monumental, et Venise leur était restée longtemps soumise. Au VIII⁰ siècle, les moines byzantins, persécutés par l'iconoclasme, étaient venus chercher refuge dans Rome et dans le Sud; ils avaient apporté là leurs icones et leurs livres illustrés. Un peu plus tard, lorsque les négociants des villes côtières d'Italie commencèrent à s'aventurer sur les mers, ce fut vers l'Orient qu'ils cherchèrent fortune; à Byzance, dans les cités du Pont-Euxin, à Alexandrie même, ils rencontrèrent encore l'hellénisme. Les papes enfin, et les abbés des grands monastères italiens, ne cessèrent pendant tout ce temps de chercher à Byzance des techniciens qui les aidassent dans leur effort de rénovation artistique. Pour toutes ces raisons, le ton grec marquait profondément en Italie, à l'entrée du XIV⁰ siècle, le langage des artistes. Celui surtout des décorateurs, en particulier celui des peintres.

Ceux-ci s'exprimaient de préférence par la mosaïque, ou bien, ils illustraient de petits panneaux de bois à fond d'or, destinés à être réunis côte à côte comme sur les iconostases. Les retables toscans ordonnent donc, dans l'abstraction liturgique, un récit compartimenté en petits épisodes autour de la figure hiératique de la Vierge ou du saint. Et l'immense entreprise qui, autour de 1250, se proposa d'ouvrir, sur la splendeur des mosaïques, l'espace interne du baptistère de Florence, fut menée dans le respect fidèle des traditions vénéto-byzantines. Cette permanence des modes grecs explique l'étonnante parenté qui unit les scènes de la vie du Christ composées par Duccio au revers de la Maestà — que, le 9 juin 1311, les Siennois transportèrent en triomphe jusque dans la cathédrale — aux fresques peintes un peu plus tôt dans les monastères des Balkans, celle qui les unit aussi aux mosaïques contemporaines des églises de la Grèce.

LA DORMITION DE LA VIERGE - FRESQUE - VERS 1320. ÉGLISE DE GRACANICA (SERBIE).

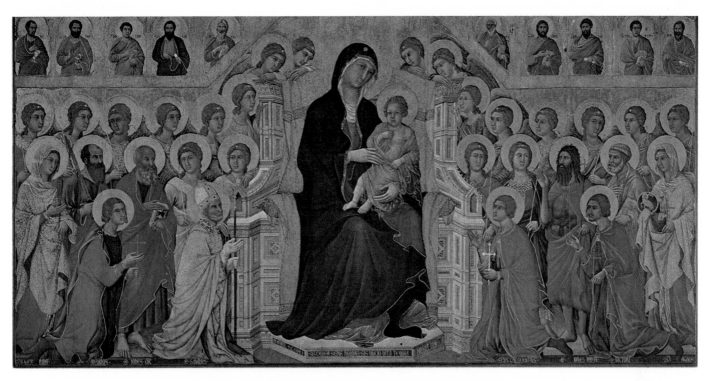

DUCCIO (VERS 1260-1319) - LA MAESTÀ - 1308-1311. SIENNE, MUSÉE DE L'ŒUVRE DE LA CATHÉDRALE.

DUCCIO (VERS 1260-1319) - SCÈNES DE LA VIE DU CHRIST (REVERS DE LA MAESTÀ) - 1308-1311.
SIENNE, MUSÉE DE L'ŒUVRE DE LA CATHÉDRALE.

ANASTASIS, OU DESCENTE DU CHRIST AUX LIMBES, PARTIE DROITE: RÉSURRECTION D'ÈVE - FRESQUE DU CHŒUR DU PARACLET - 1310.
ISTAMBOUL, ÉGLISE SAINT-SAUVEUR-IN-CHORA.

DUCCIO (VERS 1260-1319) - LES TROIS MARIES AU TOMBEAU, DÉTAIL (SCÈNE DU REVERS DE LA MAESTÀ) - 1308-1311.
SIENNE, MUSÉE DE L'ŒUVRE DE LA CATHÉDRALE.

59

Ihe salutat matrem suā cum osculo patris dicens.
Salue mellita mea flostula ūgo maria.

sabbati aurea rutulacione resplenduit iuxta
quod psalmigraphus longe antea ipphetauit
Nox inquiens sicut dies. illuminabitur et
sic facta est hec nox illuminacio mea fidelib;
is meis vsam subito nuchi dilectus filius asti
tit et refulgente inhabitaculo lumine hys
uerbis me dulciter salutauit. Aue inquit
mater mia aue. Quasi dicat ve iam merous
depone quia sine ve me inutero concepisti et
sine doloris molestia iurgo ymanens pepersti
plangere desine lacrimas absterge gemitus re
pelle suspiria reice iam enim implete sut scrip
ture quia oportuit me pati et amortuis resur
gere iam prostrato pncipe mortis infernum
expoliaui potestatem nicelo et terra accepi et
ouem perditam adouile pro humero repor
taui quia hominem qui perierat ad regia
celestia reuocaui. Gaude igitur mater aman
tissima quia facta es celi et terre regina
Et sicut morte interueniente obtinui dominum
inferorum sic ascensionis gloria refulgente
regnu accipiam supernox. Ascendam igitur
ad patrem meum ut preparem me diligen
tibus locum. Tu autem surge dilecta mea co
lumba mea speciosa mea electa nuchi ꝓ pre
electa incipe iam inpresenti gaudiū tibi infu
turo longe gloriosius eternaliter ymaī ꝛ. Ulti
mo inmontem syon matre cu discipulis con

PASSIONNAIRE DE L'ABBESSE CUNÉGONDE: L'EMBRASSEMENT DE LA VIERGE ET DU CHRIST · PRAGUE, VERS 1320.
PRAGUE, BIBLIOTHÈQUE D'ÉTAT, MS. XIV, A. 17, FOLIO 16 VERSO.

2

L'INTONATION LATINE

Lorsque, dans les arts de l'Italie centrale, l'accent latin vient de nouveau retentir, sa résurgence traduit en fait une récente inflexion de la pensée et de la pratique politiques. Pendant le XIIe siècle, les deux pouvoirs qui prétendaient à la domination de l'Occident, l'Empire romain, que Charlemagne avait restauré contre les empereurs de Constantinople, et la Papauté romaine, dont l'Eglise grecque refusait décidément depuis 1054 de reconnaître la primauté, voulurent l'un et l'autre asseoir leur puissance et appuyer leurs prétentions sur des fondements juridiques. Les maîtres des écoles de Bologne, qui lisaient et commentaient les textes du Code de Justinien, furent alors invités à leur fournir, décantée par le raisonnement scolastique, une notion claire de l'*imperium*. La gloire de la Rome antique, de la Rome latine, jaillit aussitôt de leur réflexion et de leur enseignement. Les Staufen, rois de la Germanie, pour cela « rois des Romains » et candidats à l'Empire, les papes, évêques et seigneurs de la Ville, se disputèrent depuis lors le privilège de revêtir les attributs de César. Une telle compétition, et les démarches intellectuelles qu'elle mettait en jeu, frayèrent peu à peu la voie à cette redécouverte de la latinité, classique et civique, que nous appelons l'humanisme.

Révélation de textes et de formules; révélation aussi d'une esthétique monumentale, qui jadis avait inspiré le décor de *l'auctoritas* impériale. L'empereur Frédéric II, rejeton des Staufen, mais Italien par sa naissance et par toute son inclination naturelle, fit donc renaître en Campanie, dans le deuxième tiers du XIIIᵉ siècle, la grande sculpture politique des cités antiques. Le vrai départ se situe là, aux lisières de l'Orient, dont l'Italie du Sud n'avait été jusqu'alors qu'une province. Toutefois, ce fut en 1260, au baptistère de Pise, que s'opéra l'intrusion décisive des expressions latines dans le langage de la décoration sacrée. L'Empire s'effondrait à la mort de Frédéric; l'État sicilien passait aux mains d'un prince de France, d'un frère de saint Louis, et Naples s'ouvrait bientôt aux séductions de l'élégance gothique. L'esprit d'entreprise, la fortune, la fidélité au passé de la patrie romaine s'établirent désormais au centre de la Péninsule, sur les rivages de la Toscane. Pise avait amassé par le commerce sur les mers orientales d'immenses richesses; elles servirent en partie à ériger le splendide ensemble cathédral qui célébrait à la face du monde nouveau la gloire de la cité. Pise, sur la route qui vers Rome conduisait les rois d'Allemagne, formait la première étape qui les fît pénétrer dans un monde vraiment pétri de romanité. Pise, enfin, était gibeline, tournée vers la nostalgie de l'Empire, vers la mémoire de Frédéric II, vers le décor augustal de Capoue. Nicola Pisano s'initia aux techniques des sculptures campaniennes; il prit directement pour modèles les sarcophages à figures de la Basse-Antiquité; il fit de saint Pierre un Romain, de la Vierge une matrone; il inventa, pour la prédication évangélique, un langage tout neuf. Un langage bouleversant: la Renaissance en eut-elle jamais d'autre?

Mais Pise, vaincue sur mer par les Génois, déclinait, tandis que croissait la prospérité des cités de l'intérieur, enrichies par la banque et par la fabrication des belles étoffes. Le prestige, la puissance économique, puis les itinéraires routiers qui reliaient le Latium à la plaine du Pô, se détournaient vers Florence. Florence, elle aussi, se sentait romaine en ses racines; elle oscillait encore entre le guelfisme et la vénération des empereurs. Ainsi vers 1300, le fils de Nicola, Giovanni, ses élèves Arnolfo di Cambio et Tino di Camaino érigèrent dans le ton romain, entre Pise, Florence et Sienne, les premiers monuments sculptés qui, depuis le fléchissement de la statuaire romaine, eussent assez de puissance pour défier avec

succès la plastique de l'Ile-de-France. Contre celle-ci, ils proposaient un accent de majesté, un peu pesant, celui des caryatides. Ils dressaient des figures austères, dont la gravité s'accordait à la morale encore rigide des lignages patriciens qui tenaient le gouvernement des communes: les Vierges à l'Enfant de Toscane ne portent pas Jésus, mais le poids du monde. Contre l'art des cathédrales françaises, ces sculpteurs cherchaient à traduire un tourment intérieur, le pathétique des sermons franciscains. Aussi inclinaient-ils parfois à introduire dans la pierre taillée le frémissement dramatique de la *Crucifixion* de Cimabue. Ils retrouvaient alors le tumulte des *Chasses*, des *Passages de la Mer Rouge*, dont les violences immobiles s'étaient développées, depuis un millénaire, au flanc des derniers sarcophages de l'empire constantinien.

Cependant, si l'empire de Frédéric était tombé, s'était réduit à l'état d'un mythe, d'une nostalgie que cultivaient dans toutes les villes d'Italie les adversaires de la domination pontificale, c'était sous les coups du Saint-Siège, qui rêvait maintenant de se substituer à lui et de régir l'univers. Les succès politiques de la papauté l'incitèrent à se vouloir plus résolument impériale. Elle fit appel aux maîtres du nouvel art toscan pour rendre la toute-puissance de son *imperium* sensible dans la Ville à la vue des pèlerins. Aux approches du jubilé de 1300, Rome devint pour cela le plus grand chantier du monde. Ce fut ici que le parler latin, devenu déjà la langue des sculpteurs, triompha du parler grec dans l'art de peindre. Mosaïste, Cavallini était sans doute aussi tailleur d'images; on le voit en tout cas rompu à la technique de la décoration cosmatesque. En 1291, à Sainte-Marie-au-Transtévère, puis à Sainte-Cécile, il avait conçu des figures amples, pleines, fortes, qui parlaient de majesté. Giotto cependant fut le vrai héros de cette libération nationale qui consista, aux yeux des contemporains, à expulser de l'œuvre peinte l'esthétique importée, l'esthétique étrangère de Byzance. Héritier des sculpteurs, il lui arrive de peindre en grisaille des figures qui sont en fait des simulacres de statues. Elles en ont l'aplomb, le poids, la présence. Il pouvait toutefois dans la fresque conduire beaucoup plus avant la puissance de persuasion. Ainsi par le génie de Giotto, la peinture devint désormais, et pour des siècles, l'art majeur de l'Europe.

L'INTONATION LATINE

1. Giovanni Pisano (vers 1248-1317): Figure allégorique. Marbre – 1277-1284. Pise, Musée de San Matteo.

2. Giovanni Pisano (vers 1248-1317): Le Massacre des Innocents, détail de la chaire de la cathédrale de Pise. Marbre – 1302-1310.

3. Arnolfo di Cambio (vers 1245-1302?): La Vierge de la Nativité. Marbre – 1296-1302. Florence, Musée de l'Œuvre de la Cathédrale.

4. Tino di Camaino (vers 1285-1337): Un conseiller de l'empereur Henri VII, détail. Marbre – 1315-1318. Pise, Campo Santo.

5. Tino di Camaino (vers 1285-1337): La foi, détail du monument de Marie de Valois. Marbre – 1333-1337. Naples, Eglise Santa Chiara.

6. Giotto (vers 1266-1337): L'injustice (figure en grisaille). Fresque – 1305-1306. Padoue, Chapelle des Arènes (Chapelle Scrovegni).

En Avignon, des Français du Midi, qu'imprégnaient l'esprit gothique et la culture chevaleresque, tenaient le siège pontifical et la plupart des offices cardinalices. Lorsque le pape décida de manifester à plein, dans le palais qu'il venait d'édifier, l'éclat de la nouvelle Rome, ce fut pourtant un Siennois, le plus célèbre des peintres alors vivants, Simone Martini, qui reçut mission d'ordonner la décoration. Il est vrai que Simone avait longtemps travaillé pour les princes angevins, qui régnaient à Naples. Pour eux déjà, il avait ouvert le langage toscan aux douceurs, à la préciosité, aux grâces aristocratiques de l'esthétique française. Il ne subsiste à peu près rien des fresques dont il dirigea l'exécution en Avignon. Mais on a récemment mis au jour ses esquisses au rouge de Sinope, déposées sur l'enduit préparatoire. Au portail de la cathédrale Notre-Dame-des-Doms, l'artiste reprit plusieurs fois l'image du Christ en majesté, celle de la Vierge assise, en « humilité », directement sur le sol. Ces ébauches révèlent l'élégance, la fermeté de son dessin et la singulière puissance de ses rythmes. On conserve à l'Ambrosienne de Milan un Virgile *que Simone décora pendant son séjour à la cour des papes. Voulait-il mieux accorder l'illustration au classicisme du texte? Céda-t-il au désir de l'humaniste qui lui avait passé commande? Nulle peinture du Trecento n'est plus proche par son inspiration, par les procédés d'illusion qu'elle met en œuvre, de la peinture antique.*

Simone mourut en 1344. L'essentiel de l'immense programme décoratif de la cour avignonnaise fut exécuté entre 1343 et 1368 par un autre Italien, Matteo Giovannetti de Viterbe, et par son équipe. A ce moment, dans l'Italie centrale, l'exil de la papauté et les crises qui agitaient le monde des affaires commençaient à priver la création artistique d'incitations vraiment stimulantes. Mais, sur les bords du Rhône, Matteo découvrait dans ses plus jeunes expressions l'art de France. Le pape et les cardinaux considéraient d'un œil méfiant les déviations de la mystique franciscaine; en revanche, ils accueillaient toutes les valeurs de gloire, toutes les parures et la courtoisie qui venaient de Paris. Ils permirent à leur peintre de chercher librement. Dans son art s'établit la vraie confluence de la lyrique gothique et des conquêtes spatiales de la peinture toscane.

Dans le temps même où travaillait l'atelier de Matteo de Viterbe, Charles IV s'efforçait de rénover l'Empire et de lui construire en Bohême une capitale digne de sa grandeur. Il fonda l'Université de Prague, sur le modèle de celle de Paris, et fit venir à lui architectes, peintres et sculpteurs. Il en attira beaucoup de France, et parmi eux, Mathieu d'Arras, qui conçut la silhouette de la cathédrale Saint-Guy et son chevet, touffu comme les futaies où se perdaient les rêveries chevaleresques. La Maison de Luxembourg, dont l'empereur était issu, se trouvait en effet liée par d'étroits cousinages à celle de France, et les usages de la courtoisie parisienne triomphaient à la cour de Bohême. Elle devint, en Europe centrale, un puissant foyer de diffusion des raffinements gothiques. Charles IV cependant n'oubliait pas qu'il tenait en ses mains le vieil Empire, à la fois germanique et romain, et que sa puissance était d'abord assise sur l'Italie et sur les Allemagnes. Aussi, dans la chapelle haute du château de Karlstein, choisit-il de placer au-dessus du maître-autel une œuvre italienne, un triptyque fortement marqué d'esprit byzantin, peint par Thomas de Modène. Et ce fut un maître de Strasbourg, Nicolas Wurmser, qui non loin de là dirigea sans doute l'exécution des fresques, de celle entre autres où l'empereur paraît en ministre de Dieu, penché sur les reliquaires de la Passion. Venus des bords opposés du Saint-Empire, le gothique rhénan, les recherches lombardes rencontraient à Prague les modes d'Ile-de-France.

Mais dans un milieu proprement tchèque et dont les puissances de création se révèlent singulièrement fécondes. Car, depuis un siècle au moins, la Bohême avait cessé d'être un pays de paysans et de coureurs de bois ; elle s'était enrichie ; elle s'était ouverte. Prague apparaissait maintenant comme le nœud d'un vaste réseau de relations marchandes, et les princes, religieux et laïques, vers qui les structures de la société féodale faisaient converger les richesses, commandaient à des artisans locaux de parer le décor de leur vie. Pendant tout le XIVe siècle, on voit les livres de prière s'orner d'admirables dessins dont la vigueur et l'originalité se précisent. Les enluminures du Passionnaire de l'abbesse Cunégonde devaient certes encore beaucoup à des modèles venus de France. Mais déjà, vers 1350, l'auteur anonyme du cycle de Vysebrod avait su s'approprier les découvertes toutes récentes des artistes toscans, les plier à son tempérament et traiter sur un mode majestueux le graphisme du vitrail français. Quant aux figures que Maître Theodoric, peintre bohémien, établit sur les niches à reliques de la chapelle de Karlstein, ce sont bien les plus saisissantes de la grande époque de Prague. Il fait surgir les visages des saints dans une plénitude expressive qui renie les fluidités et les évanescences de l'esthétique gothique. Il leur imprime un accent que bientôt sut retrouver à Vienne l'auteur du portrait de Rodolphe IV de Habsbourg.

SIMONE MARTINI (VERS 1285-1344) - PAGE DE FRONTISPICE DU « VIRGILE » DE PÉTRARQUE - VERS 1340.
MILAN, BIBLIOTHÈQUE AMBROSIENNE, A 79 INF.

MATTEO GIOVANNETTI DE VITERBE (MILIEU DU XIVᵉ SIÈCLE) - VISION DE SAINT JEAN A PATMOS, DÉTAIL - FRESQUE - 1346-1348.
AVIGNON, PALAIS DES PAPES, CHAPELLE SAINT-JEAN.

MAÎTRE THEODORIC DE PRAGUE (ACTIF, 1348-1367) - SAINT JÉRÔME (PEINTURE SUR BOIS PROVENANT DU CHÂTEAU DE KARLSTEIN). PRAGUE, GALERIE NATIONALE.

NICOLAS WURMSER (MILIEU DU XIVe SIÈCLE) - L'EMPEREUR CHARLES IV DÉPOSE LES RELIQUES DANS LE RELIQUAIRE DE LA CHAPELLE
DE LA SAINTE CROIX - FRESQUE - AVANT 1357. CHÂTEAU DE KARLSTEIN, CHAPELLE DE LA VIERGE.

MAÎTRE DE VYSEBROD (MILIEU DU XIVe SIÈCLE) - LA RÉSURRECTION - VERS 1350.
PRAGUE, GALERIE NATIONALE.

VIERGE A L'ENFANT DE MISZLE - BOIS POLYCHROMÉ - VERS 1330. PRAGUE, GALERIE NATIONALE.

ANTONIO PISANELLO (1395-VERS 1455) - LA LÉGENDE DE SAINT GEORGES ET LA PRINCESSE, DÉTAIL - FRESQUE - VERS 1435.
VÉRONE, ÉGLISE SANT'ANASTASIA.

NICOLAS BATAILLE (SECONDE MOITIÉ DU XIVe SIÈCLE) - TAPISSERIE DE L'APOCALYPSE:
LES ARMÉES DE SATAN ASSIÈGENT LA VILLE DES SERVITEURS DE DIEU - 1373-1380. MUSÉE D'ANGERS.

MAÎTRE DE L'APOCALYPSE - LA DESTRUCTION DE LA VILLE - FRESQUE - VERS 1370. CHÂTEAU DE KARLSTEIN, CHAPELLE DE LA VIERGE.

LE TRIOMPHE DE LA MORT

Tendue pour le plus admirable des cimetières, la fresque du Triomphe de la Mort *se joignait, au Campo Santo de Pise, à deux autres représentations picturales, celle du Jugement dernier et celle de la vie salutaire des ermites de la Thébaïde. Elle est, comme les deux autres, prédication de pénitence et de renoncement. Mais c'est d'elle que jaillit, lancé vers le peuple fidèle, le cri de la nouvelle angoisse. Car son auteur inconnu a su réunir tous les moyens visuels de persuasion dont usaient les Ordres mendiants pour l'éducation des foules. De tous les humains, les riches sont les plus menacés; ce sont eux qu'il faut convaincre, arracher aux joies du monde et préparer malgré eux à la bonne mort. A cet effet, deux scènes se juxtaposent, comme les deux phases d'exhortation progressive d'un sermon. Dans le décor forestier des cavalcades courtoises, mystérieux, peuplé de bêtes et de plantes familières, s'inscrit le récit devenu lieu commun des Trois morts et des Trois vifs: la découverte fortuite, au milieu de la vie, du cadavre pourrissant. Cependant le pouvoir de ce thème rebattu se trouve singulièrement renforcé par une image conjointe, toute neuve alors celle-ci, l'image de la Mort qui triomphe, et qui soudain vient faucher les plaisirs du jardin d'amour.*

La démonstration du prédicateur s'insinue par ce motif jusqu'au cœur de la sensibilité mondaine. Elle joue sur l'effroi de perdre la joie profane. Elle s'attarde donc à la décrire; elle propose au regard les séductions du tendre verger, des parures et des chansons. Elle figure sur le mur du charnier — et c'est là son meilleur argument — l'élégance heureuse dont les ivoiriers parisiens ornaient, pour le seul plaisir des yeux, les accessoires de la toilette mondaine. Naguère, au portail central de la cathédrale de Léon, les tailleurs d'images avaient tenté de représenter dans une réunion très semblable de musiciens et de chanteurs courtois la joie pure des élus. Mais ce dont il s'agit à Pise c'est du plaisir terrestre, du plaisir coupable, celui que l'homme doit renier. Medicina di ogni pena, *la mort apparaît donc aux heureux du monde dans sa terrifiante puissance d'arrachement.*

Ici, la nouvelle pastorale cesse de placer son accent sur les joies promises, après un calme passage, dans un futur immatériel. Elle s'établit dans le concret, dans le vécu, dans l'expérience des mortalités indomptables. Elle s'achève dans une dramatisation du trépas. Pour mieux convertir, elle exalte la joie chevaleresque. Elle décide finalement d'alimenter la piété de l'homme au sens tragique de son destin.

LE TRIOMPHE DE LA MORT - FRE

1350. CAMPO SANTO DE PISE.

II

IMITATION
DE JÉSUS-CHRIST

LE CHRISTIANISME DES LAÏCS

Pour une très large part, le modernisme du XIVe siècle réside dans la rénovation des attitudes religieuses et dans les formes « modernes » de dévotion auxquelles aboutit la grande conversion du christianisme médiéval. Par une très longue marche, dont, dès le XIe siècle, les premières inquiétudes hérétiques avaient jalonné les étapes préliminaires et qui, après 1200, fut brusquement entraînée vers son terme par la prédication de saint François d'Assise, la religion chrétienne avait finalement cessé d'être affaire de rites et affaire de prêtres. Au XIVe siècle, elle était décidément adhésion des masses. Cette époque, avons-nous dit, se décléricalise, mais ce n'est pas pour cela qu'il faut la croire moins chrétienne que n'était la précédente. Au contraire, elle l'est certainement davantage, de manière plus intime, en tout cas beaucoup plus profonde par la diffusion, par l'enfoncement dans les consciences des enseignements évangéliques. L'Europe présentait jusqu'alors les apparences d'une chrétienté ; le christianisme pourtant n'était pleinement vécu que par de rares élites. Au terme du complet retournement qui s'achève, il apparaît désormais comme une religion populaire.

Il a pris pour cela de la naïveté. En s'annexant les formes plus frustes de la religion du peuple, il s'est en quelque sorte assuré contre les incertitudes. Il y avait en effet, dans les foules enfin christianisées, davantage de crédulité que dans les cloîtres, les chapitres cathédraux et les escouades universitaires, moins de porosité au doute, une foi plus aveugle dans les puissances de la surnature. On sent le christianisme du XIVe siècle fortifié contre les tentations de l'incroyance. Toutefois, plus vulgaire, il se trouve travaillé plus intimement par les angoisses devant l'au-delà, devant des forces évidentes, redoutables, mystérieuses, que le fidèle doit se concilier pendant sa vie et plus encore à l'heure effrayante de la mort. La religion des grands prélats du XIIIe siècle avait triomphé des terreurs. Elle se développait, paisible, dans la lumière et dans l'espérance. La religion du peuple, que l'Eglise accueille et tente de discipliner, faisait, elle, place beaucoup plus large à la nuit, à la crainte des forces ténébreuses. On voit ainsi resurgir au grand jour les démons que la clarté gothique avait un moment refoulés dans les angles obscurs des cathédrales, et qui s'étaient réfugiés, clandestins, dans le secret des sectes hérétiques et dans toutes les forêts, près des arbres aux fées et des sources guérisseuses. Devant eux, comme devant le Dieu juge, les laïcs du XIVe siècle vivent dans le tremblement. Et leur vie religieuse, qui fait moindre place aux cérémonies communautaires, situe au premier plan de la vie quotidienne l'acte pieux, prophylactique, qui exorcise les pouvoirs maléfiques et gagne la pitié de Dieu. Dans le nouveau christianisme, les laïcs n'assistent plus comme leurs pères, muets et mal conscients, au spectacle liturgique. Tous les laïcs, les princes, Isabeau de Bavière, mais aussi les chevaliers pillards de Thuringe, Christine de Pisan, femme de lettres, ses compatriotes les banquiers d'Italie, les trafiquants hanséatiques, les gros fermiers et jusqu'aux tâcherons de village, tous pratiquent, selon leur pouvoir. La création artistique constitue précisément l'une des œuvres de cette pratique. Œuvre de louange, de ferveur — œuvre de sacrifice, consécration de richesse — œuvre propitiatoire, ou bien destinée à favoriser une médiation salvatrice. Plus que jamais, l'œuvre d'art remplit une fonction religieuse.

Mais, et voilà bien le grand changement, les aspirations du laïcat, plus que jamais, la gouvernent. Car, indépendamment de toutes les transformations économiques et sociales, dont on a lu plus haut une très succincte analyse, les relations entre le prêtre et le fidèle se sont alors radicalement transformées. Pendant des siècles, les institutions ecclésiastiques en Occident avaient fonctionné comme des instruments de compensation spirituelle. Clercs et moines priaient pour tous les laïcs, qui les alimentaient de leurs dons, et par ces prières gagnaient des grâces, ensuite distribuées dans tout le peuple chrétien.

Par ses aumônes, et selon des tarifs précis, chaque fidèle faisait, pour lui-même ou pour les siens, l'acquisition de ces grâces. Il attendait qu'elles vinssent, au jour du Jugement dernier, balancer le poids de ses fautes. Au seuil des grands sanctuaires, l'image de saint Michel pesant les âmes tenait présentes à toutes les consciences les vertus rédemptrices d'un tel transfert. Et pour le salut de tous, clercs et moines élevaient les monuments de l'art sacré, véritablement publics.

Or, les inquiétants succès des doctrines hérétiques, où un laïcat plus évolué, désireux de sortir de sa situation passive, trouvait à compenser ses frustrations, avaient amené l'Eglise dans le cours du XIIIe siècle à rénover son action pastorale. Elle n'avait pu compter pour cela sur les curés de paroisse, mal enseignés, mal recrutés, et qui, de plus en plus nombreux, ne résidaient plus parmi leurs ouailles, mais percevaient au loin les revenus de leur charge. Elle n'avait pu s'appuyer non plus sur les desservants, très pauvres hommes. Les Ordres mendiants animèrent, au moins dans les villes, ce renouvellement, et pour cela perfectionnèrent toutes les techniques d'encadrement et d'animation de masses.

Encadrer les laïcs dans des corps plus actifs que les communautés paroissiales: les Mineurs et les Prêcheurs enrôlèrent dans ce but autour d'eux, dans leur Tiers-Ordre, tous ceux qui, sans embrasser la vie religieuse, aspiraient pourtant à vivre le christianisme, et non plus à le regarder de loin sans le comprendre. Et parmi les tertiaires, beaucoup sortaient des sectes hérétiques ou s'y seraient sans cela jetés. Que les autres moins fervents se groupassent au moins en confréries, dans ces guildes, dans ces associations d'aide mutuelle et de libations périodiques, que l'Eglise avait longtemps condamnées comme refuge des superstitions païennes mais qu'elle se prit au XIVe siècle à encourager, à surveiller, à diriger. Réunis autour d'un luminaire dont les cotisations de tous assuraient l'entretien permanent, autour de l'image d'un saint protecteur, les confréries foisonnaient alors partout. Confréries de métier, de quartier, de paroisse, associations hospitalières et charitables, groupes de pénitence dont les membres s'administraient rituellement la discipline, groupes de célébration comme les compagnies de *laudesi* d'Italie, engagées dans le combat pour la bonne mort, et dont l'œuvre essentielle consistait à représenter, pour l'édification des confrères, par des « laudes », par des chants collectifs, et dans une mise en scène parfois savante, les scènes centrales du drame évangélique, la Nativité et la Montée au Calvaire. Les Tiers-Ordres et les innombrables confréries proposaient à tous leurs membres, c'està-dire à l'immense majorité des laïcs des villes et à une bonne part des ruraux, une spiritualité qui procédait de celle des moines. Isolement dans le jardin clos des méditations collectives, lutte héroïque pour la conquête difficile du salut, dans le renoncement et dans les macérations, enfin des exercices journaliers, le chant des Psaumes, la récitation des heures canoniales. La nouvelle pastorale conviait les laïcs à prier eux-mêmes, à prononcer eux-mêmes les paroles des textes sacrés et, s'ils en étaient capables, à les lire seuls et à les comprendre. Elle leur ouvrait la liturgie des cloîtres et des chapitres cathédraux, mais en la transportant dans le quotidien de leur vie et dans l'intimité de leur cœur.

Pour éduquer les masses et pour que les exercices particuliers des confréries prissent tout leur sens, les équipes animatrices des Ordres mendiants utilisèrent abondamment des moyens d'édification collectifs, le sermon et le théâtre, en les associant étroitement l'un à l'autre. Lorsque saint François découvrit qu'il ne lui suffisait pas d'atteindre seul à son salut personnel et que le Christ lui donnait mission de répandre autour de lui son message, il le fit par la parole. Il n'était pas clerc. Il chanta donc la pénitence, l'amour de Dieu et la joie parfaite comme l'eût fait un jongleur, et tout le monde l'entendit. Puis il lança ses disciples sur les routes et sur les chantiers pour persuader, par les mêmes moyens très simples. Quant à saint Dominique, c'était pour le prêche qu'il avait fondé son Ordre. Afin de vaincre sur leur terrain les prédicants hérétiques qui vivaient avec le peuple et qui parlaient sa langue, les intellectuels dominicains surent faire de l'homélie traditionnellement pratiquée dans les cathédrales et dans les monastères, mais qui ne touchait que les gens d'Eglise, un instrument très efficace de propagande. Ils transférèrent pour cela le discours sacré de la rhétorique savante au dialecte de tous les jours; ils en vulgarisèrent les thèmes pour les ramener au niveau de l'auditoire le plus fruste. Tout comme la lecture du livre d'heures, le sermon, cet autre exercice de clercs, sortit des cloîtres et des communautés closes au XIIIe siècle pour se répandre dans le peuple, et le rôle de la prédication populaire ne cessa de grandir après 1300.

Dans les années quatre-vingts du XIVᵉ siècle commencèrent les grandes missions, les tournées de prédicateurs nomades. Précédés de très loin par le renom de leurs exploits mystiques, ils étaient attendus à la porte des villes par tous les magistrats rassemblés. Ils remplissaient bientôt les places publiques d'auditeurs passionnés et bouleversés. Le peuple réuni attendait d'eux des miracles, la fin des pestes, et surtout la régénération de sa vie, des voies propices conduisant à la mort salutaire. « Il commençait son sermon vers cinq heures du matin, » est-il dit du franciscain Frère Richard, qui prêcha à Paris en 1429, « et il durait jusqu'entre dix et onze heures, et tous les jours cinq à six mille personnes y assistaient. Il prêchait du haut d'une estrade de près d'une toise et demi de hauteur, le dos tourné au charnier, face à la Charonnerie, à l'endroit de la *Danse macabre...* »

Ces remueurs de foules maniaient volontiers la trivialité. Ils voulaient que l'on pleurât à les entendre et visaient à atteindre dans les contrebas de l'âme les ressorts les plus profonds de l'émotion, capables de déclencher les grandes conversions collectives. Wyclif a dénoncé la bassesse des artifices qu'ils employaient, et le Pardonneur de Chaucer est un charlatan sinistre. Mais leur interminable éloquence montrait au peuple tout entier, pour l'imprimer au cœur de son âme, une image du Christ fraternelle et touchante. Image d'autant plus persuasive que la prédication se déroulait au sein d'un spectacle, d'une fête populaire. Elle était entourée de symboles peints ou sculptés bien visibles, de processions chantantes. Elle se mêlait aux représentations du théâtre.

Chacun sait que le théâtre est issu des liturgies et qu'il en fut dès le Xᵉ siècle une adaptation à l'usage du peuple. Cependant son essor et sa vulgarisation décisive datent aussi du XIVᵉ siècle, comme ceux de la prédication, dont il accompagna les succès. Attachées aux deux fêtes majeures du christianisme, à Noël et à Pâques, et à la fête du saint patron, les *sacre rappresentazioni* se sont déployées innombrables au sein des confréries italiennes, en tableaux vivants qui peu à peu s'animaient, se mêlaient aux processions, s'ordonnaient en jeux scéniques, s'enrichissaient d'un dialogue, d'une musique, d'un décor planté. Il s'agissait là, à vrai dire, d'exercices privés réservés aux seuls membres de l'association pieuse et destinés à leur particulière édification, mais qui retentissaient profondément dans leur conscience.

Mimer les souffrances du Christ, c'était en effet mieux saisir le sens de Sa Passion, c'était s'identifier à Lui. A la fin du siècle, alors que s'organisaient les premières grandes missions de prédication, le théâtre s'ouvrit davantage. Il s'affirma dans son dessein de vaste célébration collective. A Paris, à Londres, dans les autres grandes villes, des confréries se fondèrent spécialement pour donner tous les ans de la Passion une représentation publique. Commencèrent alors les cinquante années les plus fécondes dans l'histoire du théâtre religieux européen.

Ces jeux de scène, ces décors illusionnistes, ces incantations, les processions des flagellants, la parole et les gesticulations des prédicateurs, ne s'adressaient certes pas à l'intelligence. Leur but était d'émouvoir, de susciter dans les consciences les attendrissements et les craintes salutaires — dans chaque conscience individuelle. Au milieu de sa confrérie, comme dans l'auditoire des sermons ou devant la représentation d'un mystère, chaque homme se sent concerné. Il est bien question de son âme, de la préparation de sa mort, de son salut personnel. Il s'agit de lui-même, de sa propre responsabilité, de sa propre culpabilité. Enraciné aux sources de la sensibilité émotive, ce christianisme moins serein, remué par la peur sacrée, est aussi beaucoup plus individuel. Il s'organise en dialogues: dialogue du pénitent et de son confesseur dans le secret de la contrition, dans le chuchotement de l'aveu des fautes et leur absolution, dialogue de l'âme avec Dieu. Par le sermon, par le théâtre, par tous les moyens de l'action directe, les Ordres mendiants détachaient en fait les fidèles de l'Eglise séculière, leur rivale. Ils reprenaient à leur compte les tendances anticléricales de tous les mouvements hérétiques qu'ils avaient eu naguère pour mission de rallier à l'orthodoxie et dont leur action contrariait maintenant la résurgence.

Dans la chrétienté du XIVᵉ siècle, toutes ces tendances s'engouffrent et prolifèrent. Parfois dangereusement. Sur le flanc sud de l'Europe, que minaient en profondeur les rémanences du catharisme et de l'hérésie vaudoise, en Italie, en Provence, toute une branche de l'Ordre franciscain glissa dans l'opposition violente à la papauté d'Avignon. En se proclamant Spirituels, ces « Petits Frères » manifestaient leur fidélité à l'esprit du fondateur de l'Ordre. Mais ils exprimaient aussi leur croyance, puisée dans les écrits de l'ermite calabrais Joachim de Flore, en l'avènement d'un troisième âge du monde: après celui du Père, après celui du Fils, est venu, avec la prédication de saint François, celui du Saint-Esprit; son règne rend désormais inutiles les intermédiaires ecclésiastiques, puisque toute la communauté des fidèles se trouve directement baignée par l'Esprit — cet esprit que précisément trahit l'Eglise romaine. Leur firent écho, en Rhénanie, les communautés de Bégards et des Frères du Libre Esprit, que les évêques pourchassaient et brûlaient en 1326 parce qu'ils affirmaient, eux aussi, la libre souveraineté des parfaits et l'identité de l'âme et de Dieu dans la fusion mystique: « Du fait du repos naturel qu'ils sentent et possèdent en eux-mêmes, dans leur désœuvrement ils se tiennent pour libres, unis à Dieu sans intermédiaires, élevés au-dessus de toutes les pratiques de la Sainte Eglise, au-dessus des commandements de Dieu, au-dessus de la loi. » Or, leur doctrine trouvait alors dans les couvents de sœurs dominicaines qu'enseignait Maître Eckhart d'étranges résonances. Maître Eckhart ne dit-il pas dans un de ses sermons en langue vulgaire: « La puissance du Saint-Esprit prend aussi véritablement ce qu'il y a de plus pur, de plus subtil, de plus élevé, l'étincelle de l'âme, et l'emporte tout en haut dans le brasier, dans l'amour, ainsi qu'il en est de l'arbre: la puissance du soleil prend le plus pur et le plus subtil dans la racine de l'arbre et le fait monter jusqu'aux rameaux où il devient fleur. Absolument de la même manière, l'étincelle de l'âme est élevée dans la lumière et dans le Saint-Esprit, emportée de cette manière dans sa première origine. Elle devient ainsi totalement une avec Dieu, tend absolument à l'unité, elle est une avec Dieu plus véritablement que la nourriture avec mon corps. »

Plus tard, à la fin du siècle, l'opposition à la hiérarchie s'affirma plus brutale, plus résolue, en Angleterre et en Bohême. Pour Wyclif, pour les prédicants lollards, pour les chevaliers qui les écoutent, le clergé corrompu n'a point de rôle. L'essentiel de la vie religieuse réside dans une dévotion directe au Christ frère, nourrie par la lecture de l'Evangile. Il importe donc de traduire en langue vulgaire la parole de Dieu afin que le peuple l'entende. Et Jean Huss prend ensuite le relais. Il cautionne les mouvements de profondeur du messianisme populaire, qui parvinrent pour un temps très court, avant les violences et les carnages, à réaliser sur la montagne symbolique de Tabor la communauté fraternelle et égalitaire des enfants de Dieu, imprégnés de l'Esprit saint et vivant dans l'attente fervente de la fin imminente des temps. Toutefois, beaucoup plus discret, non point rebelle, sans rupture, le mouvement prit finalement son entière signification dans les Pays-Bas, lorsqu'il déboucha sur ce qu'on appela bientôt fort justement la « dévotion moderne ». Le long du Rhin, de petits groupes d'« amis de Dieu » rassemblaient depuis quelque temps des laïcs, des prêtres, des Dominicains, qui s'encourageaient mutuellement à mener, dans la fraternité du Christ, une vie réglée qui pût les conduire à l'illumination et qui, progressivement, se dépouillât. Dans ses *Noces spirituelles*, Ruysbroek proposait à ces communautés, pour qu'elles parvinssent à l'union en Jésus, une démarche de renoncement total. « Un homme vraiment intérieur se replie sur lui-même. Il est libre du côté des choses de la terre, son cœur s'ouvre avec révérence du côté de l'éternelle bonté divine. Alors le ciel caché se découvre. De la face de l'amour divin, comme un éclair, une brusque lumière s'enfonce dans ce cœur ouvert. En cette lumière, l'esprit de Dieu parle à ce cœur aimant: je suis tien et tu es mien, j'habite en toi et tu vis en moi. » Et ce fut dans la Fraternité de la Vie Commune que Geert Groote avait rassemblée, après avoir longtemps oscillé entre l'érémitisme de Ruysbroek et les austérités de la Chartreuse, que fut composé avant 1424 celui des livres de piété qui devait connaître parmi les laïcs chrétiens le succès le plus prolongé, l'*Imitation de Jésus-Christ*.

Se disposer à une méditation qui ne s'attachât plus à percer les mystères de Dieu mais bien à rejoindre le Christ dans son humanité et, par degrés successifs, à se mêler à Lui en une union ineffable, n'excluait pas tout recours au prêtre. Jésus en effet n'est nulle part plus accessible que dans l'Eucharistie. Certains rites demeurèrent donc nécessaires. La messe, conçue comme une représentation de la Passion, où l'on s'attendait à voir, comme jadis à Bolsène, le sang jaillit de l'hostie et l'image de l'Homme de douleurs surgir du calice, l'ostension prolongée du *corpus Christi*, sa longue promenade solennelle le jour de la Fête-Dieu, revêtirent alors une valeur essentielle, qui rendait indispensable le ministère sacerdotal. Cependant, comptaient avant tout les œuvres intérieures et personnelles, l'oraison, la dévotion du cœur et l'exaltation progressive du « fond » de l'âme. En fonction de celles-ci prennent tout leur sens les formes nouvelles de l'art religieux.

LA CHAPELLE

Pour le déploiement des rites collectifs du christianisme, le XIVe siècle éleva nombre de bâtiments très amples. Dans les régions de l'Europe où la seigneurie rurale demeurait encore prospère, en Angleterre ou en Espagne, les abbayes et les chapitres cathédraux entreprirent parfois la rénovation de leurs sanctuaires. Ailleurs, des communautés furent aidées dans cette tâche par la générosité d'un prélat, d'un patron ou, comme dans la France du Sud, d'un pape. Pour ces cloîtres, pour ces salles capitulaires, pour ces nefs, dont la fonction n'avait pas changé, on ne chercha nullement à modifier les structures de l'édifice. Les seules innovations résidèrent dans l'adjonction d'un décor plaqué, parure à la gloire du donateur, ou bien dans les raffinements du jubé, cette clôture. A la *Capilla Mayor* de Tolède, elle enferme dans une barrière splendide, mais étanche, la communauté des officiants, elle l'isole dans sa psalmodie recluse, elle la coupe tout à fait du peuple des fidèles, rejeté. Ainsi, dans ses développements ultimes, l'art du haut clergé accentuait la séparation entre les vieilles liturgies et le peuple. Pour le peuple des villes cependant, on construisit aussi de grandes églises.

Les communautés urbaines tenaient en effet à célébrer la gloire de leur ville par des monuments paroissiaux qui, reléguant les petites chapelles de quartier dans un rôle de desserte locale, pussent réunir le corps citadin autour des magistrats et des corporations majeures pour des cérémonies municipales, civiles autant que religieuses. Les collégiales centrales des villes flamandes, Saint Mary Radcliffe à Bristol, ou Tyn, l'église des marchands de Prague, rivalisent avec les cathédrales. Elles s'affirment comme des actes de prestige. Elles poussent au plus haut les nefs et les clochers en symboles de puissance. Mais non loin d'elles, d'autres églises surgissent, de fonctions plus foncièrement spirituelles et mieux accordées aux ferveurs nouvelles: ce sont les églises des Mendiants. Etablies dans les faubourgs de toutes les agglomérations de quelque importance, les communautés de frères, gris, noirs ou blancs, les Franciscains, les Dominicains, les Augustins, les Carmes, bâtirent alors d'immenses vaisseaux souvent ordonnés en deux nefs, l'une pour les frères, et l'autre, ouverte largement aux laïcs. Ici furent appliquées les formules neuves.

Elles proclament le dépouillement, vocation de ces Ordres de pauvreté. A l'extérieur, point d'arcs-boutants, une nudité stricte, un volume parfaitement uni, ajusté rigoureusement à la fonction, et pour cela très beau. Même simplicité, même unité de l'espace interne. Si les nefs sont multiples, du moins sont-elles d'égale hauteur, puisqu'au même plan se situent, devant Dieu, les religieux et les laïcs. Seuls des piliers rares et minces les séparent: il importe en effet de réunir en un même corps les foules et les Frères qui les animent. Parce qu'elle veut assurer la participation complète des laïcs, la nouvelle architecture se développe comme la négation même du jubé. Elle détruit toute clôture, elle supprime toute cloison. Il faut que chacun puisse de toutes parts entendre le sermon, voir le corps du Christ en ostension, et même que la lecture d'un livre y soit possible. Pour cela, les baies s'élargissent et les vitraux s'éclairent. La pénombre faite pour l'illumination des cierges et pour les psalmodies chorales se dissipe. Nue, sobre, vaste, éclairée, l'église des Mendiants — et sa structure s'impose bientôt aux collégiales municipales et même aux cathédrales neuves — s'établit comme un lieu de rencontre parfaitement adapté à ce qu'est devenue la forme externe de la vie de piété: un spectacle. Et le long de ses murs latéraux s'alignent une série de chapelles, offertes aux dévotions privées des confréries et des familles.

*

Aux origines, la chapelle avait été conçue comme chose royale, pour le souverain doué de charismes et d'un pouvoir de thaumaturge. Dans les très vieilles conceptions germaniques placées à la racine de la notion européenne de royauté, le roi dialogue en effet avec les dieux, il officie pour son peuple, il attire sur celui-ci par ses intercessions la victoire et la prospérité. Aux temps carolingiens, la cérémonie du sacre avait christianisé cette fonction magique, l'avait transplantée dans les cadres de l'Eglise. Devenu par les rites de consécration l'oint du Seigneur, comme une espèce d'évêque, le souverain n'avait rien perdu de ses responsabilités religieuses, mais il les tenait désormais de Dieu, qu'il représentait sur la terre dans la conduite des affaires temporelles. Il se sentait maintenant responsable du salut de son peuple. Il en fut le témoin devant Dieu. Cette mission impliquait qu'il se tînt toujours en relation directe et personnelle avec la puissance divine. Le roi fut donc le premier des laïcs, et longtemps le seul, à prier comme un prêtre. Raison profonde de l'ardeur touchante de Charlemagne, s'acharnant pendant ses insomnies à apprendre ses lettres. Et la maison du roi sacré abrita désormais une équipe de clercs domestiques chargés d'entourer la personne du monarque, comme l'était dans le chapitre cathédral la personne de l'évêque, d'une célébration liturgique ininterrompue. Le lieu central de cette cérémonie fut la chapelle. Le roi y avait son trône, sa chaire, sa *cathedra*, comme un évêque. Ses gens l'entouraient. En face de lui étaient disposées les reliques de son trésor. Il appartenait en effet au souverain, pour intensifier ses pouvoirs d'intercession, de réunir près de lui en très grand nombre des parcelles des corps les plus saints. La chapelle jouait donc aussi, et peut-être surtout, le rôle d'un reliquaire. Elle est en fait une sorte de châsse à double niveau, l'un pour la garde et l'autre pour la monstrance des corps saints. Aussi disposait-on sur les murs les matériaux les plus précieux, destinés à environner de splendeur les reliques, en même temps que le souverain *en majesté*, c'est-à-dire trônant, revêtu des emblèmes de son pouvoir. Telle apparaissait la chapelle que Charlemagne avait fait élever dans son palais d'Aix sur le plan des oratoires de l'Empire romain d'Orient. Telle se présenta la Sainte-Chapelle, construite pour abriter la couronne du Christ par saint Louis, roi couronné, et qui marque le point d'achèvement de l'art des liturgies royales.

Ce parfait modèle fut imité tout au long du XIVe siècle par les souverains de l'Europe. Edouard III d'Angleterre, pour affirmer sa jeune et aventureuse puissance face à celle du roi de France, qu'il voulait égaler, fit entreprendre, dès qu'il eut arraché le pouvoir des mains de sa mère, l'érection d'une chapelle dédiée à saint Etienne, à Westminster, près du tombeau d'Edouard le Confesseur, qu'il fit honorer comme le rival de saint Louis. Lorsque Charles IV, roi de Bohême, s'employa à faire rayonner à nouveau la puissance impériale dont il était investi, il construisit Karlstein. Une chambre aux reliques, incrustée d'or et de pierres brillantes, tapissée de visages saints, couronne le château de rêves. Ce réceptacle de la Sainte Croix est comme l'aboutissement mystique des vertus chevaleresques et guerrières qui se déploient dans les basses cours. Au terme d'une ascension vers le ciel, la chapelle dispose un lieu secret, clos, baigné de l'influx des corps saints, et que des remparts successifs protègent contre toute atteinte, pour les rencontres intimes entre l'empereur et le Dieu crucifié, dont il se sent le vicaire sur la terre.

Les rois cependant ne sont plus seuls au XIVe siècle à aménager leur sainte chapelle. Les princes qui n'ont pas reçu l'onction du sacre souhaitent également posséder la leur. Dans celle de Bourges, merveilleuse, le duc Jean de Berry déposa la part sacrée de son éblouissante collection de bijoux. Mais l'innovation la plus profonde et où se manifestaient à la fois les orientations modernes de la piété et le mouvement d'ensemble qui entraînait la vulgarisation de la culture, ce fut l'immense prolifération de chapelles possédées par des particuliers et destinées à leur usage privé. Chapelles qui n'étaient point à vrai dire véritablement individuelles mais qui appartenaient à de petits groupes, à des fraternités dont l'existence se prolongeait de génération en génération, à des confréries ou bien à des familles. Aux guildes, aux corporations, à toutes les associations pieuses, il fallait un local pour les réunions périodiques de prières qui rassemblaient leurs membres autour des clercs ordonnateurs de leurs exercices spirituels. Peu d'entre elles disposaient de finances suffisantes pour entreprendre la construction d'un édifice propre. Elles demandèrent asile en telle ou telle église. On leur accorda un emplacement réservé, auprès de l'un des autels qui flanquaient l'autel majeur, lieu des célébrations collectives. Or celles-ci ne réunissaient plus aussi solidement toute la communauté des fidèles. Chaque famille, chaque maisonnée souhaitait en effet user pour ses dévotions d'un sanctuaire particulier. Depuis très longtemps il existait dans les châteaux de la haute aristocratie des oratoires privés imités des chapelles royales: ils se multiplièrent. Les riches, en effet, voulaient copier les usages des plus grands seigneurs, manger, boire, se vêtir, se divertir comme eux. Tout chef de maison assez fortuné pour le faire eut donc, pour lui et les siens, son clerc et sa messe, chez lui, à l'instar des princes. A tout le moins s'efforça-t-il, par une grosse aumône, d'acquérir dans une église une place spéciale sur le pourtour du chœur, ou bien sur les bas-côtés, le long des murs. Il pensait manifester ainsi sa promotion sociale, il rangeait ainsi sa lignée parmi celle des puissants. Les Frères Mendiants ne refusèrent pas de céder, aux plus influents ou aux plus généreux des laïcs dont ils gouvernaient la piété, un lot d'espace dans leur église: vingt-cinq chapelles particulières entouraient le chœur des Cordeliers de Paris.

Ces chapelles de confréries et de familles remplissaient une double fonction. La première, que l'on peut dire externe, s'ordonnait autour d'un autel et développait une liturgie privée, en messes célébrées périodiquement aux intentions particulières des membres du groupe. Des membres vivants, mais davantage encore des membres morts. Car cette première fonction revêt un caractère essentiellement funéraire. Le culte des défunts occupait en effet une place centrale dans la vie religieuse instinctive du peuple. Dans la mesure même où ces aspirations spontanées furent christianisées et encadrées par l'Eglise, les rites chrétiens à l'usage des trépassés s'amplifièrent. Pour tous les hommes de ce temps, entrer dans une confrérie, c'était d'abord s'assurer des obsèques bien réglées, et les services religieux que rendraient perpétuellement à la portion défunte de la communauté les générations futures des confrères. Chaque lignage se sentait envers ses morts tenu à de semblables devoirs. La croyance en l'efficacité des gestes rituels accomplis par les vivants en faveur des défunts ne s'affaiblit nullement à cette époque. On la sent au contraire se renforcer. Tout n'est pas joué après la mort. Le pape d'Avignon proclame que l'âme défunte paraît dès son trépas devant la face de Dieu, dont elle prend une première vision, béatifique. Mais entre cette première comparution et le Jugement dernier, entre la damnation sans recours et la joie des élus, s'étend une durée où l'âme peut gagner encore certains des mérites qui lui manquent pour entrer au Paradis. Et ses amis restés sur terre ont aussi le pouvoir de virer à son compte les bénéfices acquis par la célébration répétée du sacrifice divin. Aussi n'est-il pas alors de testament qui n'affecte une part considérable de

l'héritage à l'organisation majestueuse de l'office des funérailles, à la fondation surtout d'innombrables messes perpétuelles. Les familles s'y ruinaient, mais chacun considérait de tels legs comme la meilleure assurance contre l'Enfer. Chacun pensait aussi que ces messes étaient d'autant plus salutaires qu'on les chantait plus près de la dépouille mortelle de celui qu'elles devaient contribuer à sauver. La disposition la plus efficace consistait donc à réunir en un même lieu la tombe, l'autel et les prêtres qui, jusqu'à la fin des temps, y consacreraient l'hostie. Le chrétien soucieux de son propre salut et de celui des siens fondait donc dans une église une chapelle pour sa maison, dès qu'il se sentait en état de supporter une telle dépense. Celle-ci en effet n'était point légère. Il convenait à la fois d'acheter le lieu de sépulture, de l'aménager pour signifier sa destination particulière, enfin de constituer des rentes pour l'entretien perpétuel de la *chantrerie*, comme on disait en Angleterre, c'est-à-dire du ou des chapelains attachés à la fondation. Tout un prolétariat ecclésiastique se pressait en vérité pour remplir ces fonctions de chapellenie, car elles offraient une situation confortable, sûre, et demandaient fort peu de peine. Dans les *Contes de Canterbury*, le personnage du chapelain incarne la paresse paisible. Pourtant, si nombreux que fussent les clercs aspirant à ces sinécures, ils peinaient à répondre à la demande, tant était grande l'exigence des riches lorsqu'ils parvenaient au seuil de la mort. Tel haut seigneur de Gascogne, le captal de Buch, instituait par testament, outre cinquante mille messes à dire dans l'année de son trépas, soixante et un anniversaires perpétuels et dix-huit chapellenies. Si bien que l'extension de ces pratiques privait bien des paroisses de leurs desservants. Elles concouraient à désagréger les institutions communautaires de l'Eglise et à leur substituer des formes égoïstes de célébration liturgique.

Cette liturgie funéraire ne constituait pas cependant l'unique fonction de la chapelle privée. Le mouvement d'intériorisation de la piété lui en assignait peu à peu une seconde. Elle s'offrait aussi à la méditation, au recueillement car la vie religieuse devenait plus intime. Dans l'oratoire où il se rend pour gagner par des prières le salut de ses parents ou de ses confrères morts, le fidèle peut aussi rencontrer Dieu, élever peu à peu vers lui, dans le silence du cœur, l'« étincelle » de son âme. Aussi la chapelle reçut-elle toute une garniture propre à favoriser ces effusions. A l'instar des chapelles royales, elle tendit à devenir reliquaire. Car dans ce christianisme rabaissé au niveau de la mentalité populaire, se renforçait aussi la foi dans les vertus salvatrices des parcelles de corps saints. L'affinement de la culture ecclésiastique avait peu à peu, au XIIe, au XIIIe siècle, dans les églises construites et ordonnées par le haut clergé, contenu, discipliné la dévotion aux reliques. Voici que l'irruption des pratiques laïques la rendit de nouveau proliférante. Au XIVe siècle, on tenait les reliques pour les plus précieux cadeaux que l'on pût donner ou recevoir, on voulait en tout cas les avoir à soi. La possession des reliques, comme toutes choses, se vulgarisa. D'autre part, on disposa dans les chapelles des images propres à rassurer ou à faire accéder l'âme aux illuminations de l'Esprit saint. Ces figurations remplirent les verrières, mêlées aux signes d'appropriation, aux emblèmes héraldiques, aux devises ou au portrait du fondateur. Peintes, sculptées dans le bois ou l'albâtre, elles s'organisèrent sur les panneaux du retable; surmontant l'autel, ce recueil de scènes symboliques que l'on tenait d'ordinaire replié, fermé au public, s'ouvrait pour l'usage particulier de ses propriétaires, les possesseurs de la chapelle. Ces images prirent enfin davantage encore de présence familière dans des statues, celles des saints protecteurs de la famille ou de la confrérie. Les membres du petit groupe privilégié faisaient quelquefois tirer des armoires ces effigies pour être disposées devant eux, offertes à leur exclusive contemplation, ou bien pour les exhiber dans les processions, en affirmation de leur puissance.

De tels objets, non point fixés comme l'autel et la tombe, mais mobiles, pouvaient en effet sortir de la chapelle et prolonger au dehors la fonction mystique de celle-ci, dans le quotidien de la vie active. Pourquoi en effet cantonner dans tel édifice et à certaines heures les exercices de l'amour de Dieu? Le nouveau christianisme voulait s'incorporer à l'existence entière des fidèles. Les progrès de la dévotion intime firent, au XIVe, le succès des meubles de piété de petite taille. Ces substituts de la chapelle, plus personnels encore qu'elle ne l'était, pouvaient composer à tout moment et en tout lieu un décor propice à l'approfondissement des méditations salvatrices. Les reliques commencèrent alors à se monter en bijoux pour être portées sur le corps, en contact immédiat et permanent avec celui qu'elles

avaient mission de protéger contre le mal et d'imprégner de grâces. On exécuta, dans les matières précieuses, de petits diptyques ou triptyques; comme des retables, on les ouvrait pour l'oraison, avant la bataille, le tournoi, pendant le voyage d'affaires ou dans le secret de la chambre. Le psautier, le livre d'heures devinrent aussi, pour bien des laïcs, des sortes de chapelles portatives, et leurs enluminures, transposant les thèmes des vitraux ou des panneaux des retables, proposèrent autour du texte sacré toute une imagerie fervente, plus persuasive que les mots latins de la prière, et d'action plus pénétrante sur la sensibilité. De tous ces objets, ceux que les collections d'aujourd'hui conservent encore comptaient sans doute parmi les plus précieux. Ils revêtent des formes luxueuses, curieusement semblables aux accessoires des divertissements mondains, avec lesquels, parfois, ils se confondent. Comme les chapelles, ils n'appartenaient qu'aux hommes et aux femmes de grande fortune. Mais les inventaires, les testaments, les documents d'archives enseignent que des gens de moyenne aisance, les petits chevaliers, les agents subalternes du pouvoir, les bourgeois des petites villes, en possédaient de semblables, moins coûteux. Et à des hommes moins riches encore, infiniment plus nombreux, l'image xylographique, le papier illustré que l'on pouvait clouer sur le mur, coudre sur son vêtement ou garder plié sur soi, commençait à la fin du siècle à en offrir, à très bon marché, l'équivalence.

Or, dans ces gravures, tout comme dans les diptyques d'ivoire, sur les pages enluminées des livres ou sur les bijoux reliquaires, l'image pieuse se montre toujours encadrée d'un symbole d'architecture, qui est le signe abstrait d'un sanctuaire. Ce recours constant à un réseau d'arcatures, de pinacles, de gâbles, signifie davantage qu'une ultime rémanence des fonctions dominantes qu'avait exercées naguère l'art de bâtir. Il atteste que, pour les dévôts, ces objets de piété, qui s'adaptaient mieux aux formes modernes de la dévotion, représentaient effectivement le remplacement, non seulement de la chapelle où l'on allait de temps en temps se recueillir, mais de la cathédrale désertée. Au sein du puissant mouvement qui, dans ce siècle, livrait le christianisme au peuple laïc, ce fantôme d'église se dresse comme le souvenir des liturgies passées, mais aussi comme le symbole d'une religion intérieure, dont le sanctuaire est devenu le cœur de l'homme.

LE LIEU LITURGIQUE

Pour le chrétien du XIVᵉ siècle, le prêtre est avant tout le dispensateur des sacrements par qui se transmet la grâce divine. Il officie dans l'église paroissiale ; il y célèbre aussi la messe. Maintenant que toute la vie de foi s'ordonne autour de l'humanité du Christ souffrant, cette cérémonie apparaît d'abord comme une représentation symbolique de la Passion. Sur la commande de Jean Chevrot, évêque de Tournai, Roger van der Weyden plaça sur les faces latérales d'un triptyque la figuration minutieuse des divers rites sacramentels. De tous les sacrements cependant, le plus grand est l'Eucharistie, qui restitue la présence réelle de Jésus crucifié. Pour cette raison la liturgie de la consécration occupe à elle seule tout le panneau central, et la scène du Calvaire, dont cette liturgie est la figure, domine au premier plan l'ensemble de la composition. La croix se dresse au sein d'une église neuve, vaste, dégagée, soutenue par des piliers minces, vivement éclairée par des verrières en grisaille. Elle est construite de telle sorte que chacun puisse bien voir la longue élévation de l'hostie. Le prêtre en effet montre à tous le corps de Dieu, au centre du sanctuaire, sous un retable de l'Annonciation, en avant du jubé où s'enferment les psalmodies des chanoines.

En Angleterre, où la seigneurie rurale demeura longtemps prospère, les grandes communautés religieuses conservèrent jusque dans les dernières années du XIVᵉ siècle d'abondants moyens financiers. Les évêques et les abbés, qui craignaient les spoliations royales, se hâtaient de mettre à l'abri leurs profits. Ils les investissaient dans de vastes constructions liturgiques, où leur goût du faste trouvait satisfaction. Dans l'architecture anglaise se poursuit donc sous ses formes anciennes l'ample déploiement de l'art sacré. Ces bâtiments ne sont pas publics. Ordonnés autour du chœur et du cloître, ils abritent les exercices religieux propres à la communauté. Dans les galeries du cloître, les chanoines étudient ; ils méditent sur le texte de l'Écriture ; ils avancent dans la connaissance de Dieu. C'est ici le lieu des effusions mystiques, où l'homme cherche à s'identifier au Christ souffrant. Chaque arcade marque ainsi une étape sur le chemin qui conduit au Calvaire, au cadavre de Dieu suspendu à la Croix. Mais tous les clercs se réunissent en corps dans le sanctuaire pour participer à une cérémonie collective de louange, le chant des Heures canoniques.

A Gloucester Abbey la grande voûte du chœur fut construite entre 1337 et 1357 « par les offrandes des fidèles accourus — dit la chronique — sur la tombe » du roi Edouard II, que beaucoup tenaient alors pour un martyr. Les progrès de la technique architecturale ont permis de détruire le mur du fond et d'en faire une extraordinaire fenêtre. Par elle, la lumière de l'Esprit saint descend sur le chœur rassemblé des chanoines.

Les églises des Frères mendiants sont remplies de la même clarté, mais dans un tout autre dessein. Elles s'ouvrent tout entières à l'accueil. Elles ont fonction, non point de liturgie close ni d'administration sacramentelle, mais d'éducation et de direction pastorale. Ce sont des halles couvertes, sobres, sans parure superflue, dépouillées en exemple de pauvreté. Elles conviennent au nouveau christianisme, public et fraternel, de communication massive. Unique, la nef franciscaine de Santa Croce de Florence recouvre ainsi un immense espace nu. Au point central du volume intérieur se dresse encore, dominateur, point de mire de tous les regards fidèles et régnant sur toutes les attitudes de piété, le Crucifix. Le mur du fond ménage auprès de l'autel majeur plusieurs chapelles, car la communauté est nombreuse et chacun des Frères mineurs doit chaque jour célébrer la messe. Les grandes familles du patriciat ont obtenu cependant que ces sanctuaires latéraux leur fussent attribués pour leurs dévotions particulières et pour la sépulture de leurs morts. Elles ont fait de ces chapelles, aux lisières de la communauté rassemblée, leur possession privée, décorée par leurs soins et entretenue par leurs aumônes. Ici cède la volonté d'austérité : la puissance de chaque lignage se manifeste par la qualité, par la profusion des ornements peints qu'il dispose sur les parois de son propre sanctuaire.

La chantrerie que les sires de Warwick firent édifier entre les piliers du chœur abbatial de Tewkesbury n'en est point non plus isolée. La communauté des moines, réunie dans l'exercice liturgique, fait rayonner autour de l'autel des bienfaits spirituels qui doivent en effet parvenir jusqu'au tombeau familial. Mais un baldaquin de pierre, simulacre d'une église, entoure cependant la chapelle funéraire ; il délimite, pour le lignage, un enclos privé de piété.

CHŒUR DE LA CATHÉDRALE DE GLOUCESTER, COTÉ OUEST - 1337-1357.

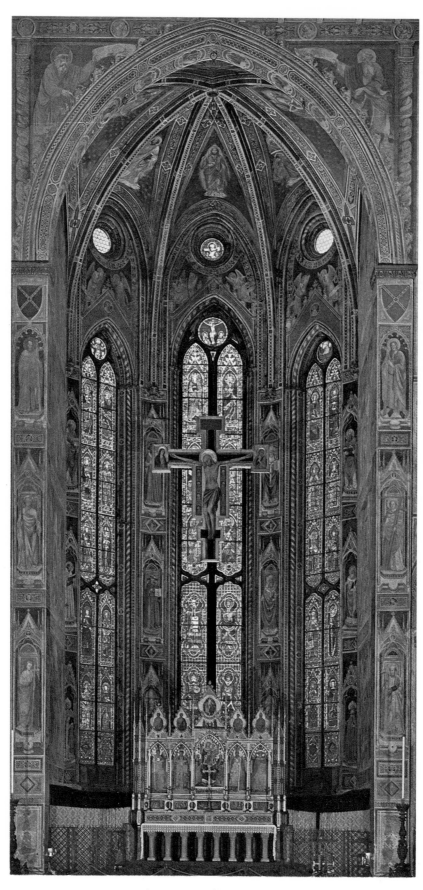

VUE INTÉRIEURE DE L'ÉGLISE SANTA CROCE
À FLORENCE.

ROGER VAN DER WEYDEN (1399-1464) - CRUCIFIXION DANS UNE ÉGLISE, PANNEAU CENTRAL DU RETABLE DES SEPT SACREMENTS.
VERS 1445. ANVERS, MUSÉE DES BEAUX-ARTS.

LE CLOÎTRE DE LA CATHÉDRALE DE WORCESTER - TROISIÈME QUART DU XIVe SIÈCLE.

hérétiques. Les adeptes d'une religion vraiment spirituelle la voulaient purifiée de toutes les altérations qui venaient d'un clergé trop riche, corrompu et attaché au monde. Ils englobaient les images dans leur réprobation du faste extérieur de l'Eglise romaine. En 1387, deux hommes, des Lollards, brisèrent à Leicester une statue de sainte Catherine. Un peu plus tard, en Bohême, les puritains de Tabor s'acharnèrent contre la décoration figurative des églises. Toutefois les iconoclastes ne constituèrent jamais que l'aile extrémiste de la violence hérétique. Dans l'art monumental, comme sur les petits objets qui soutenaient la piété individuelle, on voit se déployer au XIVe siècle l'illustration de la foi des simples.

*

L'art figuratif de la piété se reliait naturellement aux textes, à des extraits de l'Ecriture ou de la vie des saints, lesquels souvent étaient directement transcrits sur des phylactères ou dans l'encadrement de la scène. Ces suites d'images se lisaient comme aujourd'hui les bandes illustrées des *comics*. Elles assuraient la large et permanente diffusion d'une parole. En même temps elles la chargeaient d'une puissance expressive. Il leur incombait donc d'exposer au regard le concret de la croyance, et si elles employaient le symbole, ou plus souvent l'allégorie, c'était pour insérer l'invisible dans des apparences familières, pour le revêtir de tous les accents singuliers de l'existence terrestre. Ces images ne voulaient plus seulement signifier: elles représentaient. Elles devaient offrir à la vue les attributs de la réalité, et c'est pourquoi les artistes de ce temps empruntèrent aux modèles antiques certaines recettes de l'illusionnisme. Cependant il fallait aussi que les effigies sacrées tinssent leurs distances à l'égard de l'univers profane. Leur rôle consistait en effet à inciter les âmes à s'élever, à se dégager des contraintes du monde. Aussi leur fallait-il conserver de la hauteur. Les peintres et les sculpteurs pouvaient bien figurer face à face, et dans le même espace imaginaire, des hommes et Dieu. En fait nul ne saurait confondre le visage d'un donateur avec celui du Christ qu'il adore, ni même avec celui du saint patron qui se dresse en protecteur derrière lui. Ils n'appartiennent pas au même monde. Une barrière essentielle les sépare, celle dont la mort marque le terrifiant franchissement. Pour signifier cette ségrégation essentielle, Giotto avait utilisé certains artifices du théâtre: le bleu abstrait de la toile de fond qu'il tend derrière ses scènes, situe celles-ci hors du temps journalier. Giotto utilisait surtout cette intonation de majesté que lui avait révélé le décor redécouvert de la Rome antique. Certes, les personnages de son drame solennel portent les apparences humaines. Joachim dort comme un berger. Quelque chose retient pourtant d'aller lui frapper familièrement sur l'épaule, quelque chose d'indéfinissable, comme ce mur invisible qui sépare du public l'acteur, du communiant le prêtre portant l'hostie, de don Juan la statue du Commandeur. Et le plus trivial des retables, exécuté pour des confréries d'artisans dans les plus humbles bourgades, se garde bien de rabaisser jamais les personnages de l'histoire biblique jusqu'au terre à terre du commun. Une croyance sans fissure en la vie surnaturelle, voilà ce qui, dans l'art religieux de ce temps, établissait un obstacle, en un certain point, sur la voie du réalisme.

Dans cet au-delà réel mais invisible et que l'image, avant que ne le fasse la mort redoutée, dévoile, livre au regard, frayant ainsi passage au dard lumineux de l'amour, vit une foule de personnages de second plan, le peuple des saints. Le christianisme populaire les a très largement accueillis, en même temps que les démons et les forces maléfiques qu'ils pourchassent. Innombrables, ces intercesseurs possèdent cependant une individualité bien définie, et lorsqu'ils ont à les représenter en groupe, les artistes les plus habiles s'efforcent de donner à chacun d'eux une physionomie particulière. Chacun en effet possède sur terre ses lieux de prédilection, ceux qu'il a pendant sa vie fréquentés, ceux où reposent les fragments de sa dépouille mortelle. C'est dans ces endroits qu'ils opèrent leurs miracles. Chacun détient des pouvoirs qui lui sont propres et qu'il convient d'invoquer dans telle ou telle circonstance. De chacun, on connaît la propre histoire, ce roman aux épisodes innombrables qu'a conté à tout l'Occident la *Légende dorée* de Jacques de Voragine. On les reconnaît à leurs traits, à leurs costumes, à leurs attributs symboliques. Pas la moindre incertitude dans l'esprit de Jeanne d'Arc quant à l'identité des saints qui lui dictèrent sa vocation. Tout comme les processions, l'imagerie religieuse ménage une très large place à ces puissances qui défendent contre les formes dangereuses de la mort, à ces protecteurs attitrés de tel ou tel groupe social — homme de cheval et vaillant manieur de lance, saint Georges est ainsi le patron des chevaliers — ou de telle ou telle confrérie, à ces patrons personnels auquel tout chrétien remet le soin de garder son corps et son âme. Par la diffusion de l'image se propage le renom des nouveaux canonisés, de saint Thomas d'Aquin ou de sainte Catherine de Sienne. Et c'est en gouvernant l'image que l'Eglise parvient à contrôler les formes frustes de piété qui s'attachent à ces comparses du drame sacré. Le programme figuratif d'Assise visait à présenter de saint François une image bien intégrée dans l'édifice ordonné de l'Eglise pontificale.

Toutefois, sur le devant de la scène, le théâtre de la dévotion présente aux hommes une figure centrale, celle de Dieu. Dieu en trois personnes. D'innombrables confréries se placèrent au XIVe siècle sous l'invocation de la Trinité. Peintres et sculpteurs reçurent par conséquent commande de figurer les trois personnes divines. En ses pointes les plus aventurées, l'aile marchante du christianisme mettait en évidence la troisième d'entre elles, le Saint-Esprit. Beaucoup de fidèles pensaient alors, avec les *Fraticelli*, que son règne était advenu; tous lui attribuaient le gouvernement des rapports entre l'âme et la puissance divine. Dans les images de la Trinité, la colombe du Saint-Esprit n'est jamais cependant qu'une figure accessoire, et comme un trait d'union lyrique. Le Père lui-même ne constitue qu'un décor de fond, une sorte de trône vivant. Au centre de la composition se dresse le Fils crucifié. Car, après un siècle d'imprégnation franciscaine, l'art figuratif du Trecento se dispose autour d'un centre d'où l'amour rayonne: l'image de Dieu incarné, Jésus, frère et sauveur. Mais de quel Jésus? Les Bénédictins de l'âge roman avaient ordonné le tympan des abbatiales en fonction du Christ de la parousie, de Jésus revenant au Dernier Jour, dans l'insoutenable éclat de sa gloire, pour juger les vivants et les morts. Au portail des cathédrales, les intellectuels du XIIIe siècle avaient placé le Docteur: Jésus dans la posture d'un maître de l'université, tenant un livre et enseignant.

Le Christ que réclame une chrétienté enfin populaire est un homme, et un homme qui émeut, puisque la dévotion moderne est « une certaine tendresse de cœur par laquelle on fond facilement en larmes ». C'est le Jésus dont lui parlent les prédicateurs, celui que lui montrent les *sacre rappresentazioni*, le Jésus de Noël et le Jésus de Pâques. C'est-à-dire un Dieu lui aussi « historial », le personnage d'un récit: le Christ rapproché des pauvres hommes par les faiblesses de la première enfance ou par l'effondrement de l'agonie.

Noël, Pâques. La fête d'hiver est une fête joyeuse. Elle proclame l'espoir au milieu des ténèbres de la nuit. La joie qu'elle fait rayonner émane moins de l'Enfant de la crèche que de la Mère. Livré davantage aux femmes, le christianisme vulgarisé tresse ses arabesques un peu mièvres autour du thème marial, largement épanoui déjà dans le christianisme des clercs. L'art de ce temps multiplie les figures de la Vierge, et peu à peu les désacralise: Marie agenouillée devant son Fils nouveau-né, Marie bouleversée dans sa méditation par l'annonciation de l'ange, Marie veillant sur les jeux de l'enfant dans l'herbe douce et les fleurs fraîches des jardins clos du mysticisme, Marie protectrice enfin, Vierge au manteau dressée au-dessus de la foule des saints, assumant à elle seule leur fonction tutélaire, et protégeant sous sa chape bleue, en unique médiatrice, tout le peuple chrétien rassemblé. Après les pénitences et les macérations du Carême, Pâques est poussé en avant par le long cortège des douleurs divines. Si le Christ entraîne tous les hommes vers leur salut, c'est par l'accumulation de ses souffrances: il est la victime, l'agneau porteur du péché du monde. Nul spectacle ne fut plus populaire en ce temps que celui de la Passion, et nulle image plus répandue que celle de la Croix, du crucifix, axe tragique de la religion des pauvres. Peu à peu l'attention se transporta du Christ humilié, du Christ flagellé, du Christ cloué vers le Christ mort. Dans le giron de la Vierge de pitié, qui n'est plus la mère heureuse des vergers fleuris, des couronnements, des assomptions, mais qui coopère à la rédemption par l'approfondissement de sa propre douleur, par le regard d'amour souffrant fixé sur le délabrement du Fils, gît un cadavre. Cadavre dont le premier Saint Sépulcre, sculpté en représentation théâtrale, mit en scène en 1419 la sépulture. En effet, mimer la vie de Jésus, en contempler les scènes successives, « voir des yeux de son âme les uns ficher la Croix en terre, les autres préparer les clous et le marteau », s'absorber dans cette contemplation jusqu'à recevoir sur son corps les stigmates, c'était vouloir s'identifier à Lui de manière assez intime pour vaincre enfin la mort, comme Il l'avait vaincue. La peur de la nuit éternelle et l'espoir de la résurrection inspiraient toute l'imitation de Jésus-Christ.

LA RELIQUE, L'IMAGE ET L'OBJET DE DÉVOTION

Les chapelles royales étaient d'abord des chambres à reliques. Elles abritaient des corps saints, enfermés dans les matières les plus précieuses, donc un trésor de pièces d'orfèvrerie, et tout un mobilier liturgique. Chaque souverain se sentait tenu d'enrichir à son tour cette collection, pour aider au salut de son peuple. Mais l'art des dévotions royales avait glissé en France, au temps de Charles VI, vers la fantaisie, le rêve et le faste de la culture courtoise. Il participait de la fête par ses raffinements de parure, du spectacle par sa mise en scène. Tel reliquaire monte en pyramide, dans le scintillement de l'or, du vermeil et des pierres précieuses, tous ses petits personnages assemblés, Dieu le Père, la Vierge reine, Jésus sauveur du monde, leur escorte d'apôtres et de saintes protectrices. Et lorsque l'art des chapelles se vulgarise, il devient plus résolument encore figuratif. Le fidèle veut voir ; il exige, de l'histoire de Dieu et des saints, une illustration très lisible, expressive, et qui conduise sans effort à l'effusion pieuse. Quand les corporations florentines ornent l'oratoire neuf d'Orsanmichele, quand le peuple d'Orvieto revêt d'une enveloppe splendide son insigne relique, le linge taché du sang divin, sur l'objet de liturgie l'éclat des richesses consacrées s'allie à la vérité de l'image.

Les prédicateurs cependant invitaient à intégrer dans le plein de la vie quotidienne les exercices de la prière. L'acte religieux se faisait intime et tendait à devenir permanent. Il lui fallait des accessoires plus maniables et plus personnels aussi. Les ivoiriers de Paris offrirent des réductions de statues et de retables. En quelques figures, un diptyque résumait les scènes majeures du drame sacré. Il parlait à l'âme fidèle aussi haut que la chaire de Pise, et se plaçait aisément dans une trousse de voyage. A la fin du XIVe siècle, le triptyque devient pendentif. Il forme un ornement de corps, splendide ; il supprime toute distance entre la relique et la personne du dévot ; lorsqu'on l'ouvre enfin, il montre l'image du Dieu souffrant. En cette châsse portative, marquée du symbole de la Passion, une longue évolution se termine : celle qui depuis un siècle, peu à peu, tendait à placer dans la possession des grands, entre leurs mains amoureuses de bijoux, les valeurs de foi jadis déployées pour tous dans la liturgie des cathédrales.

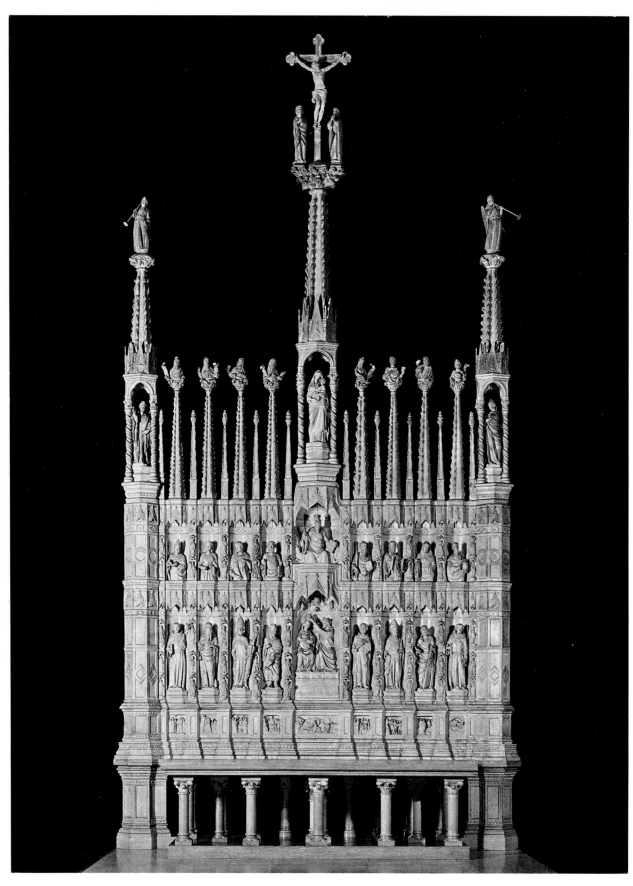

JACOBELLO (MORT VERS 1409) ET PIER PAOLO DALLE MASEGNE (MORT EN 1403?) - AUTEL EN MARBRE - 1388-1392.
BOLOGNE, ÉGLISE SAINT-FRANÇOIS.

UGOLINO DI VIERI (CONNU DE 1329-1385) - RELIQUAIRE EN VERMEIL DU TRÈS-SAINT-CORPS - 1337.
CATHÉDRALE D'ORVIETO, CHAPELLE DU CORPORAL.

NICOLA PISANO (VERS 1220-AVANT 1284).
CHAIRE DU BAPTISTÈRE DE PISE - 1260.

LA NATIVITÉ ET LE JUGEMENT DERNIER - DIPTYQUE FRANÇAIS EN IVOIRE DE LA PREMIÈRE MOITIÉ DU XIVᵉ SIÈCLE.
PARIS, MUSÉE DU LOUVRE.

PENDENTIF DE PARIS EN FORME DE TRIPTYQUE REPRÉSENTANT LE CHRIST COURONNÉ D'ÉPINES - VERS 1400.
MUNICH, TRÉSOR DE LA RÉSIDENCE.

RELIQUAIRE DE LA CHAPELLE DE L'ORDRE DU SAINT-ESPRIT - FRANCE, DÉBUT DU XVe SIÈCLE. PARIS, MUSÉE DU LOUVRE.

C'est devant la mort du Christ que l'émotion religieuse au XIVᵉ siècle culmine, et devant les images innombrables des souffrances du Calvaire. L'imitation de Jésus-Christ mène à épouser Ses douleurs, à L'accompagner dans son agonie, donc à traverser la mort avec Lui pour surgir au-delà, par Lui, dans la gloire. Cet espoir seul permet aux chrétiens de ce temps d'affronter l'effroi du trépas. Les exhortations franciscaines à la pénitence, le scandale profane devant tout ce qui menace, et finalement brise l'élan de la joie chevaleresque, ont conduit à ce point le christianisme dès qu'il s'est offert aux laïcs pour informer véritablement leur vie. Le crucifix domine tout l'imaginaire de dévotion. Il l'écrase.

La prédication d'Assise a fixé le canon de cette représentation tragique. Pietro Lorenzetti fut l'un des premiers à hausser le thème à sa plénitude : il montra la croix vide, les ruisseaux de sang répandus, les plaies des mains et du flanc, les tenailles qui arrachent le clou et déchirent les pieds et, déjeté en ligne douloureuse, le cadavre abandonné de Jésus. Il inventa d'incliner Marie, et les disciples, le couvrant de baisers, sur le corps supplicié.

Lorsque le duc Philippe de Bourgogne décida de préparer sa sépulture à Champmol, il voulut dans la Chartreuse un calvaire monumental où, par les ressources conjointes de la plastique et de la peinture, le Christ mort prît toutes les apparences de la présence réelle. Claus Sluter et Jean Malouel y travaillèrent de concert, dans une volonté d'expression pathétique. Dépouillé de sa polychromie, l'admirable visage en porte le bouleversant témoignage. Mais la croix surmontait ici une source, la Fontaine de vie, dispensatrice du salut. La nécropole ducale niait en effet la mort terrestre ; elle célébrait dans l'espérance le Dieu tout-puissant, la Trinité.

Pour combattre les croyances hérétiques que propageaient aussi les Spirituels franciscains, et qui proclamaient l'avènement du règne de l'Esprit, l'Eglise avait concentré son enseignement dogmatique sur le mystère de l'unité de Dieu en trois personnes. Elle diffusa partout l'image de la Sainte-Trinité mais en la mêlant à celle du Calvaire : Dieu le Père siège en majesté sur le « trône du salut », la colombe de l'Esprit unit son visage à celui du Fils dont, de ses mains, il soutient la croix. Tel est le thème central que Masaccio traita en 1427 sur l'un des murs de Santa Maria Novella, surmontant d'un simulacre de chapelle l'admirable représentation d'un transi. L'accent de gravité se concentre ici sur Jésus crucifié. Les deux donateurs sont agenouillés en retrait, aux lisières de la scène, et les traits de physionomie que porte leur visage les situent délibérément hors de l'univers d'éternité où vivent immobiles les personnages divins, la Vierge et saint Jean. Du moins sont-ils de même stature que ceux-ci et investis de la même présence monumentale et statique. Elles les relève de l'humilité des hommes et les transporte, fortifiés par la grâce divine, dans la transcendance.

Le Christ cependant surgit triomphant du tombeau. Pour exprimer en plénitude et dans son entier dynamisme la puissance de la Résurrection, il fallait aux artistes une force que les donateurs, semble-t-il, les incitèrent rarement à déployer. L'ancien art liturgique traduisait les élans vers la transcendance, mais la piété commune du XIVe siècle se trouvait sans doute trop au ras du sol pour bondir par-delà le gouffre terrifiant de la mort charnelle. L'art des chapelles sait trouver l'accent de la tendresse, il sait crier l'angoisse des hommes ; habile à transposer des rêves, il parvient même à restituer dans leur grandeur les visions de l'Apocalypse — il peine à chanter les joies invisibles, et la plupart de ses paradis sont dérisoires.

Un peintre parvient pourtant à douer Jésus ressuscité d'une force invincible, à le montrer comme le héros bouleversant d'une victoire sur les dominations de la nuit et sur les angoisses de l'homme : ce fut le maître inconnu du retable bohémien de Trebon. Face à cette figure souveraine, issue du christianisme ardent, farouche, qui devait animer bientôt les sectes hussites, on pourrait évoquer un autre ressuscité, le Lazare des Très Riches Heures. Mais celui-ci est un homme — un visage, un torse admirables, purs et pleins comme ceux d'un bronze antique. Les Limbourg offraient ici à Jean de Berry vieillissant l'espoir conjugué du vieil optimisme chevaleresque et des prémisses humanistes qui parvenaient d'Italie. Cependant, cet espoir, la chevalerie et l'humanisme le plaçaient l'un et l'autre sur la terre.

Une telle image ne pouvait fleurir qu'aux pointes extrêmes de raffinement de la civilisation de 1400, dans l'extraordinaire conjonction de faste et d'esprit, de curiosité et d'élégance, où parvint la cour parisienne avant que les hasards de la guerre ne vinssent bientôt la disperser. Devant le mystère de la mort, le ton commun, celui des prédicateurs et du peuple qu'ils faisaient trembler, comme celui des chrétiens stoïques et austères pour qui travailla Masaccio, était un ton de terreur ou bien de gravité. La cérémonie des funérailles ne préparait pas pour un retour aux joies du monde ; elle disposait une dernière fête autour d'un corps promis à la pourriture ; c'était un adieu. Pour la Vierge seule, cet adieu pouvait être confiant : déjà les troupes d'anges s'empressaient à parer de fleurs son cadavre pour la toute prochaine Assomption. Mieux que la mort du Christ, la mort de la femme Marie emportait l'espoir des dévôts.

CLAUS SLUTER (MORT EN 1406) - CRUCIFIX PROVENANT DE LA CHARTREUSE DE CHAMPMOL, DÉTAIL - 1395-1399.
DIJON, MUSÉE ARCHÉOLOGIQUE.

PIETRO LORENZETTI (VERS 1280-1348) - DÉPOSITION DE CROIX - FRESQUE - VERS 1329-1331.
ASSISE, ÉGLISE INFÉRIEURE DE SAINT-FRANÇOIS.

MASACCIO (1401-1429) - LA SAINTE-TRINITÉ (LA PARTIE INFÉRIEURE MONTRE UN SQUELETTE SUR UN SARCOPHAGE) - FRESQUE - 1427.
FLORENCE, SANTA MARIA NOVELLA.

119

SURVIVRE

Plus qu'un art de vivre, le christianisme du XIVe siècle fut un art de bien mourir, et la chapelle, plus que le lieu des oraisons et de la contemplation mystique, celui d'un culte funéraire. Le sentiment religieux de ce temps est en effet gouverné par l'idée de la mort. Les forces associées de vulgarisation et de laïcisation ont établi celle-ci dans cette position dominante. En annexant les formes vulgaires de la sensibilité et les angoisses de la conscience populaire devant les mystères de l'au-delà, le christianisme devait accueillir cette inquiétude élémentaire: que sont devenus les défunts? où sont-ils? ne faut-il pas voir en telle lueur étrange, entendre en telle rumeur insolite, le reflet, l'écho de leur existence parallèle, invisible, mais toute proche et menaçante? ne forment-ils pas à la lisière des apparences perceptibles une troupe grouillante et tourmentée, alliée aux puissances maléfiques, et qu'il importe, comme celles-ci, de se concilier par un service, par des attentions, par des offrandes?

En ses niveaux supérieurs, la doctrine de l'Eglise proposait en fait une réponse susceptible de dissiper ces craintes. La mort est un passage, le terme du voyage terrestre, l'arrivée au port. Un jour, proche peut-être, viendra la fin des temps, le retour glorieux du Christ, la résurrection de la chair dans sa plénitude. Alors les bons seront séparés des méchants, et l'immense foule des ressuscités répartie en deux groupes, qui s'achemineront l'un vers les joies, l'autre vers les peines éternelles. Mais en attendant ce dernier jour, les défunts reposent dans un lieu de rafraîchissement et de calme, ils dorment du sommeil de la paix. Tel est l'enseignement de la liturgie des funérailles. Et l'Eglise conquérante du haut moyen âge avait jadis pourchassé, pour les détruire, les pratiques funéraires du paganisme. Elle avait menacé des peines les plus graves ceux qui s'obstineraient à porter aux morts des nourritures; elle avait vidé les tombeaux des bijoux, des vêtements, des armes, de tout ce mobilier surabondant placé près du cadavre, pour que le défunt pût vivre dans l'agrément son existence mystérieuse, et ne vînt pas insatisfait importuner les vivants. La mort s'était donc établie dans la nudité, dans le dépouillement paisible. Discrétion saisissante: aucune parure, aucun emblème sur les restes des princesses carolingiennes inhumées au soubassement de la basilique Sainte-Gertrude à Nivelles, et lorsque les archéologues ouvrirent le seul tombeau d'un roi de France qui demeurât inviolé, celui de Philippe Ier à Saint-Benoît-sur-Loire, ils ne découvrirent, auprès du corps défunt, d'autres débris que ceux d'un simple revêtement de feuillage.

Les prêtres avaient cependant dû composer avec des croyances populaires trop puissantes. A Cluny, dès le Xe siècle, ils avaient commencé d'amplifier la liturgie des défunts. Ils avaient admis que les vivants pussent apporter à leurs morts des offrandes au moins spirituelles, leurs prières, des cérémonies expiatoires. Ils avaient accueilli peu à peu le mythe d'un espace et d'un temps intermédiaires entre la mort et le Jugement dernier, où ils reconnurent que les âmes des trépassés, sorties de leur sommeil, pouvaient mener une vie plus active: ce n'étaient point des dormeurs qu'allait visiter Dante. Sous l'incertain contrôle de l'Eglise, le Purgatoire s'étendit comme une province reconquise par les conceptions pré-chrétiennes de la mort. Or, précisément, le champ de cette reconquête s'élargit encore, dans la seconde moitié du XIIIe siècle, lorsque se relâcha l'emprise des clercs sur les manifestations de piété, lorsque les Frères Mendiants vinrent faire du christianisme la religion du peuple. L'Eglise avait longtemps refusé l'accès du sanctuaire aux sépultures qui n'étaient pas celles des saints, des princes ou des prélats. La volonté des vivants de déposer leurs morts au plus près des autels, triompha peu à peu de cette répugnance. Le cérémonial des funérailles revêtit, pour les riches, toute l'ostentation du luxe. Il fallait que le défunt fît son entrée dans le royaume des morts paré de tous les prestiges de sa gloire. Puisque la puissance d'un homme se mesurait alors au nombre de ses « amis », de ceux qui vivaient dans son patronage et dans son dévouement, l'ample cortège de sa maisonnée, suivie de tous les pauvres qu'il alimentait de ses dons, accompagna sa bière. Sa tombe enfin se recouvrit d'ornements figuratifs nombreux. Soucieux de ne point tout à fait disparaître, le défunt voulut du moins rester en ce monde présent en effigie.

La volonté de survivre dans sa sépulture manifestait, contre l'esprit chrétien de renoncement, l'épanouissement d'une autre tendance, plus essentielle, peut-être, de l'esprit profane: le désir de vaincre l'anéantissement corporel, et l'effroi de l'homme, non pas seulement devant les morts, mais devant *sa* mort, devant la Mort. Pour l'Eglise, il s'était agi dès l'origine de domestiquer cette tendance et de la plier à ses fins. Elle avait donc toujours convié à méditer sur la pourriture du cadavre en la présentant comme le signe de l'imperfection de la chair, de son inanité, comme la condamnation des plaisirs transitoires d'ici-bas, comme la plus saisissante invite à se tourner vers la vraie voie, celle de Dieu, en se détachant du siècle. L'image du squelette et du corps décomposé constitua donc l'une des illustrations les plus persuasives de la prédication de pénitence. Aussi, les *laudi* chantés dans les confréries italiennes évoquaient-ils volontiers l'esseulement du corps défunt, livré aux vers dans la fosse obscure. A cette œuvre d'édification coopérait aussi un thème figuratif construit sur le poème des Trois morts et des Trois vifs, la représentation des trois cavaliers qui se heurtent à trois sépulcres ouverts, révélant leur cadavre dans l'odeur de la pourriture, et découvrant brusquement aux vivants la vanité du monde. Le grouillement des vers dans les chairs détruites déployait un double enseignement. La putréfaction attestait d'abord l'intime union de l'enveloppe charnelle et du péché. Ne pensait-on point que seul le corps des saints échappait à cette déchéance, et lorsque les Frères Prêcheurs ouvrirent le tombeau de saint Dominique, ne guettaient-ils pas dans l'anxiété cette suave « odeur de sainteté » qui prouverait à tous que le fondateur de leur Ordre se rangeait effectivement parmi les bienheureux? Mais le spectacle de l'anéantissement corporel devait inciter aussi le fidèle à conduire sa vie dans la prudence, à se tenir constamment prêt, comme les Vierges sages, en état de grâce, puisque la mort est un archer dont le dard frappe à l'improviste, et atteint l'homme quand il ne l'attend pas.

La vision du cadavre pourrissant se dressait parmi les représentations du christianisme liturgique comme un rempart contre les charmes pernicieux d'un monde tentateur et condamné.

Or, voici que les progrès de l'esprit laïc vinrent au seuil du XIVe siècle incliner le thème jusqu'à le retourner complètement. La grande fresque peinte au Campo santo de Pise juxtapose à l'image des Trois morts et des Trois vifs une autre scène d'un esprit radicalement opposé, celle du Triomphe de la mort. Brandissant une faux, la figure de la mort se précipite en tourbillons furieux sur le verger de plaisir où, dans les douceurs de la courtoisie, une société mondaine de dames et de seigneurs chante les délices de l'amour et de la joie terrestres. Elle va briser d'un coup cette joie et, comme la peste, comme la mort noire, mêler cette assemblée chantante aux cadavres entassés qui déjà s'amoncellent. L'image n'agit plus ici en symbole exemplaire de la vanité des plaisirs périssables. Elle crie l'angoisse effarée de l'homme mortel devant les puissances inexorables de son destin. Le recul des chevaux, cabrés devant les Trois morts et leurs sarcophages découverts, esquissait un mouvement de renoncement, de détachement. Tandis que les amoureux au contraire, inattentifs, inconscients de la fureur tourbillonnante qui va soudain faucher leur bonheur, s'agrippent à leurs joies, à leur vie. Pour eux, comme pour les troubadours dont les chansons scandent leurs danses, ce monde est beau et délectable. Le scandale est d'en être arraché. Si la mort, la *donna involta in vesta negra* de Pétrarque, emportée comme à Pise vers 1350 dans les tumultes d'un ouragan, chevauchant comme à Palerme vers 1450 le squelette d'une cavale, apparaît dans la puissance inéluctable d'un terrible triomphe, c'est que d'abord avait triomphé dans la culture du Trecento la soif de bonheur charnel d'une société qui se libérait de la morale des prêtres. Lorsqu'il s'est relevé de sa prosternation, l'homme a trouvé devant lui, menaçante, une mort à sa taille exacte, la sienne.

Les nouveaux symboles furent inscrits cependant sur les murs des églises. En effet, les prédicateurs, les animateurs de la vie pieuse, se découvraient impuissants à réprimer l'amour du monde, à contenir le puissant surgissement de l'optimisme laïc. Du moins cherchèrent-ils à utiliser dans leur nouvelle pastorale le trouble affectif inhérent à cet optimisme même, l'horreur de la mort, destructrice des plaisirs du monde. La fresque de Pise est comme l'illustration d'un sermon qui aurait renforcé les effets d'un ancien thème, dont l'efficacité s'atténuait, par un autre, infiniment plus bouleversant parce qu'il touchait dans sa profondeur tragique le ressort d'une sensibilité nouvelle. Ainsi s'établirent à la fin du XIVe siècle, au centre de l'iconographie religieuse, les formes rénovées du macabre. Vers 1400 apparaissent en Allemagne les premiers *Arts de mourir*, ces recueils de gravures décrivant en scènes successives le drame de l'agonie, le moribond déchiré par les regrets de ce qu'il quitte, harcelé par les démons qui tentent une ultime offensive, et que mettent finalement en déroute le Christ frère, la Vierge et les saints. A la même époque, en France peut-être, s'organisait la Danse macabre. Dans le tréfonds des croyances populaires, la figure de la mort victorieuse rejoignait parfois celle de l'enchanteur à la flûte; musicienne, elle enchaînait par ses mélodies sournoises hommes et femmes, vieux et jeunes, riches et pauvres, le pape, l'empereur, le roi, le chevalier, les membres de chacun des « Etats » du monde. Elle les emportait tous, irrésistible. Les donneurs de sermons imaginèrent peut-être de faire mimer cette sarabande triomphante et terrible, puis des images fixèrent la représentation sacrée. En 1424, le nouveau symbole de la mortalité de l'homme se dressait à Paris dans le cimetière des Innocents, non loin du groupe, désormais moins persuasif, des Trois morts et des Trois vifs, que naguère avait fait placer en ce lieu le duc Jean de Berry. Expression saisissante de l'angoisse d'être homme, le thème devait s'imposer partout, de Coventry à Lübeck, de Nuremberg à Ferrare. Il atteignait en effet l'inquiétude en son point le plus sensible; il ne la transportait plus dans l'au-delà lointain et confus des Jugements derniers; il la situait dans la certitude présente, actuelle, devant un fait d'expérience, l'agonie. « Quiconque meurt, meurt à douleur. » Le trépas n'apparaît plus comme l'assoupissement paisible du voyageur qui parvient au hâvre du salut; il est ouverture vertigineuse sur un gouffre béant. Or ce ne fut pas la misère des temps, le redoublement des fléaux, de la guerre ou de l'épidémie qui assurèrent le triomphe du nouveau macabre, mais le développement du long mouvement qui, depuis deux siècles, accordait peu à peu le christianisme aux aspirations religieuses populaires. Trembler devant l'agonie n'est pas le fait d'une chrétienté plus déprimée, moins sûre d'elle-même et moins croyante, mais d'une chrétienté beaucoup moins sélective, largement ouverte à des hommes simples, de foi aussi solide mais plus courte et moins capable d'abstraction. La Danse macabre, tout comme le thème italien du Triomphe, tout comme l'image du Christ mort sur les genoux de sa mère, convenait à une sensibilité religieuse qui n'était plus celle des moines ou des professeurs d'université mais celle du peuple. Celle des pauvres laïcs qui, dans l'église franciscaine ou dans les chapelles, priaient environnés de tombeaux.

Lorsque l'idée de la mort parvint, dans ses formes frustes, à s'installer au cœur de la vie religieuse et à la gouverner tout entière, lorsque l'angoisse de disparaître et l'acharnement à survivre firent de l'imitation de Jésus-Christ celle avant tout de Son agonie, le tombeau devint l'objet de préoccupations essentielles. Au XIVe siècle, les dispositions du mécénat se révèlent principalement orientées vers la pompe funéraire. De toutes les commandes passées aux artistes, les plus nombreuses, les plus attentives concernent bien le tombeau. La clause initiale de tous les testaments contient l'élection de la sépulture, le choix du lieu qui recevra la dépouille mortelle, qui l'abritera jusqu'au Dernier Jour. Tout homme qui songe à ériger une chapelle, qui en conçoit la décoration, qui constitue des rentes pour en assurer le service, songe moins à ses oraisons qu'à sa tombe. Il est d'usage de préparer longtemps à l'avance cette dernière demeure, d'en surveiller soi-même l'édification et l'ornement, comme de régler dans le détail l'ordonnance de ses propres funérailles. La cérémonie funèbre est en effet conçue comme une ultime fête et, sans conteste, comme la fête majeure de l'existence. Or, dans une fête, on se montre et on gaspille; les obsèques de ce temps se déroulent dans le déploiement fastueux d'une parade ruineuse.

« Voici comment le roi (le pauvre roi Charles VI de France, en 1422, au milieu des pires désastres de la guerre de Cent Ans) fut porté à Notre-Dame. Parmi les évêques et les abbés, quatre avaient la mitre blanche, dont le nouvel évêque de Paris, qui attendit le corps du roi à l'entrée de Saint-Paul pour lui donner de l'eau bénite au moment du départ. Tous les autres entrèrent, sauf lui, à Saint-Paul, les Ordres mendiants, toute l'Université en corps, tous les collèges, le Parlement, le Châtelet, le peuple. Alors le roi fut emporté de Saint-Paul et les serviteurs commencèrent à mener grand deuil. Il fut porté à Notre-Dame *comme l'on porte le corps de Notre-Seigneur* à la fête du Saint-Sauveur; au-dessus de la dépouille royale, un dais d'or était porté par quatre ou six proches; trente de ses serviteurs portaient le corps sur les épaules, peut-être davantage, car il pesait lourd. Il reposait sur un lit, le visage à découvert, couronné d'or, tenant d'une main le sceptre royal et de l'autre, la main de justice, bénissant des deux doigts d'or, si longs qu'ils arrivaient jusqu'à la couronne. Devant marchaient les Ordres mendiants et l'Université, les églises de Paris, puis Notre-Dame, enfin le Palais. Ceux-là chantaient, et non les autres. Et tout le peuple qui était le long des rues ou aux fenêtres pleurait et criait comme si chacun avait vu là, morte, la personne qu'il chérissait le plus. Il y avait là sept évêques, les abbés de Saint-Denis et de Saint-Germain-des-Prés, ceux de Saint-Magloire, de Saints-Crépin-et-Crépinien. Les prêtres et les clercs étaient tous sur le même rang, et les seigneurs du Palais, comme le prévôt, le chancelier et les autres, sur l'autre. Devant eux, les pauvres serviteurs vêtus de noir, pleurant très fort, portant deux cent cinquante torches; plus en avant encore, dix-huit crieurs de corps. Il y avait aussi vingt-quatre croix de religieux que précédaient les sonneurs de clochette. Derrière le corps, le duc de Bedford suivait seul, sans aucun prince du sang de France avec lui. C'est ainsi que fut porté le défunt roi, le lundi à Notre-Dame, où deux cent cinquante torches étaient allumées. On y dit les vigiles, et le lendemain, de bonne heure, la messe. Après la messe, le même cortège se reforma pour le porter à Saint-Denis, où après le service il fut inhumé auprès de son père et de sa mère. Plus de dix-huit mille personnes s'y rendirent, aussi bien des humbles que des grands, et on donna à chacun huit doubles de deux deniers tournoi. On donna à dîner à tout venant. »

Il s'agit là bien sûr des funérailles d'un très grand souverain, mais tous les hommes de ce temps rêvèrent de pouvoir ordonner pour eux une semblable pompe. Et le récit vaut surtout parce qu'il donne en fait la description non point seulement de la cérémonie, mais du décor figuratif qu'il devint peu à peu d'usage de disposer sur la tombe des princes. Car l'art funéraire du XIVe siècle avait pour but premier de fixer un spectacle, d'éterniser la représentation sacrée qui s'était développée autour du cadavre. Accolé à la muraille ou bien dressé au centre de la chapelle, le sarcophage a donc perdu sa nudité. Il a pris l'aspect du lit de parade qui, pendant les funérailles, avait présenté à la vue de tous la dépouille du défunt. Surmonté du dais processionnel dont on abritait l'ostensoir lors des monstrances de la Fête-Dieu, il soutient l'effigie du mort, dans ses dimensions naturelles. Lors des obsèques, pour supporter une longue présentation, le cadavre avait été embaumé et vidé de ses entrailles, qui souvent d'ailleurs étaient dispersées, pour recevoir sépulture dans divers lieux sacrés. Ou bien, la dépouille avait été remplacée par un mannequin de cuir, déguisé, ou même parfois par un figurant vivant. Le gisant de pierre du tombeau apparaît donc comme une momie. Paré de tous les emblèmes de la puissance, il découvre un visage fardé. Sur les parois du sarcophage ou sur le mur de l'enfeu, dont les arcatures construisent une église symbolique, se déploie l'image du cortège; le clergé officiant, les proches en vêtement de deuil, les pauvres enfin qui portent leur luminaire en signe d'oraison fervente, avant de recevoir une dernière aumône d'argent et de nourriture. Le défunt en effet est un prince qui, dans une dernière fête, doit se montrer dans sa gloire à son peuple et qui l'a rassemblé pour un ultime festin. Il est aussi l'objet d'une liturgie propitiatoire et, de cette liturgie, l'imagerie funéraire vise également à prolonger l'efficience. Il se trouve enfin identifié au Christ qui, lors de Son retour, l'entraînera vers la vie éternelle. Aussi l'iconographie de la tombe s'achève-t-elle par une symbolique du salut, parfois par la représentation du sépulcre de Pâques, plus souvent par les figures de la Résurrection.

Bien rares en vérité étaient les chrétiens qui pouvaient préparer pour leur dépouille mortelle de tels monuments de faste et d'espérance. La plupart finissaient amoncelés dans le charnier des cimetières. Les moins pauvres commandaient à l'artisanat florissant des tombiers de simples dalles, où l'effigie mortuaire se réduisait à une silhouette gravée, et l'environnement liturgique à l'inscription de quelques formules. Mais le tombeau du prince, comme l'agencement de ses funérailles, exprimait dans sa plénitude ce à quoi tous aspiraient. Il manifestait les conceptions communes de la pompe funéraire, et en même temps les précisait. Par sa disposition et par son décor, il donnait une forme moins confuse à l'idée de la mort, dont l'art funéraire, peu à peu, épousa les inflexions nouvelles.

Lorsque commencèrent, sur le tombeau naguère dénudé, à refleurir les figurations funèbres, lorsqu'au XIIIe siècle, en Angleterre et en Espagne d'abord, elles prirent leur premier développement, elles demeurèrent longtemps sous l'emprise du grand art d'Eglise. Les clercs avaient admis les figures de gisants, mais ils les voulurent hiératiques et sereines. Les visages des rois de France que saint Louis fit sculpter à Saint-Denis sont baignés de la paix qu'a répandue sur eux la liturgie des funérailles. Les yeux ouverts, lavés de tous les accidents de la vie terrestre, transfigurés dans la beauté intemporelle d'un corps disposé pour la résurrection, ils dorment d'un sommeil de fraîcheur et de calme qui exclut la durée. Ils ont traversé la mort pour aborder paisiblement aux rivages de l'éternel. Enveloppés dans la psalmodie des prêtres, ils sont entrés dans l'univers conceptuel d'une pensée qui, par les voies de l'abstraction aristotélicienne, découvrait alors l'ordonnance rationnelle de la surnature. Aux approches du XIVᵉ siècle, c'en est fait de cette quiétude. La sensibilité laïque s'y est infiltrée et la désagrège; elle arrache les morts à leur repos. Impassibles, ceux-ci tournaient le dos à la vie méprisable; elle les ramène vers le concret et vers les soucis des vivants. Certes, dans les pays gothiques, la paix profonde des effigies mortuaires demeura, longtemps encore, préservée. Si les traits d'une physionomie personnelle se dessinent sur la face du roi Philippe III de France, dont le tombeau fut érigé entre 1298 et 1307, l'accent de gloire qui les imprègne encore, et l'écho des liturgies, transportent le corps du défunt bien au-delà du temps. Mais en Italie, qui jusqu'alors avait ignoré les gisants, le premier des monuments funéraires résolument figuratifs, celui qu'Arnolfo di Cambio dressa après 1282 dans l'église dominicaine d'Orvieto pour le cardinal Guillaume de Braye, avait ouvert déjà une autre voie. Elle tendait vers la majesté, humaine et terrestre autant que divine, et désormais tous les sculpteurs italiens la suivirent. L'art de Rome et d'Etrurie, qui ressuscitait peu à peu par leurs mains, s'était en effet largement développé pour les morts. Pour des morts cependant qui ne reposaient point dans le sommeil de la grâce et dans l'attente de leur résurrection. Pour des morts qui voulaient survivre en ce monde, et dans la pompe de leur gloire terrestre. En Toscane et dans le Latium, à Naples, à Vérone, à Milan, puis ensuite dans les pays d'outre-monts, les tombeaux des princes de l'Eglise et du siècle devinrent donc des mausolées complexes. A la figure centrale, liturgique, du gisant couché sur le lit de la parade funèbre, la résurgence de la mort romaine, et l'angoisse de la chrétienté laïque devant la mort tout court vinrent en adjoindre d'autres,

celle du transi, celle de l'orant agenouillé, celle du héros cavalier. Et l'intrusion de ces figures, de ces trois représentations du défunt, attestent dans l'art funéraire les progrès de l'esprit profane.

*

Le cadavre pourri et chevelu du cardinal de Lagrange, le squelette, strict résidu d'une dissection précise, que peignit Masaccio à Santa Maria Novella, montraient tout simplement sous la momie parée du couvercle l'intérieur du sarcophage. *Memento mori*, cette image se situait encore d'intention dans la droite lignée de la pensée ecclésiale. Comme celle des Trois morts, elle démontrait l'inanité du monde matériel voué à l'infection et à la poussière. Les mécènes qui en commandèrent l'exécution voulaient sans conteste manifester au seuil de la mort leur mépris pour leur être charnel, s'en détacher plus complètement et faire de leur tombeau un acte d'édification et d'humilité, une prédication de pénitence. L'apparition sur les monuments funéraires des représentations de pourriture répercutait tout simplement l'écho du vieil enseignement de l'Eglise à renoncer aux vanités du monde. Toutefois, ce spectacle pouvait réveiller aussi chez les vivants qui le contemplaient l'obsession de la mort triomphante. De cette manière, la figure du transi rejoignait celle de la Danse, des Triomphes, le cortège grimaçant du nouveau macabre.

Lorsque les donateurs demandèrent à l'artiste de les représenter non plus endormis dans la paix divine et dans l'anonymat des élus, mais sous des apparences de vie plus évidentes, sous les traits identifiables de leur individualité, et pour cela souvent non point couchés sur la bière, mais dans l'attitude plus active de la prière, ou même assis, comme l'était l'empereur Henri VII sur son tombeau de Pise, tenant sa cour, entouré par les statues de ses conseillers, qui, eux, n'étaient pas encore morts, ils étaient animés par des sentiments plus profanes. Ils voulaient d'abord que l'on pensât mieux à eux-mêmes. Cette sépulture n'était pas la sépulture de n'importe qui, mais la leur; il importait que chacun le sût. Parce que construire de son vivant une belle tombe manifestait une réussite sociale, et que tout art d'ostentation ne se justifie que s'il désigne clairement son auteur. Mais avant tout parce que le tombeau est un appel aux vivants. Le défunt réclame des prières à ceux qui passent. Il les réclame pour lui-même, pour son salut personnel, et la tournure égoïste de la piété s'exprimait aussi dans ce souci de marquer sa tombe d'un signe individuel. Sur la plupart des sépultures privées, sur les dalles achetées toutes faites à des artisans qui les fabriquaient en série, les symboles héraldiques, l'inscription d'un nom suffisaient à désigner l'identité du défunt. Mais les grands mécènes voulurent que, sur leur tombe, leur effigie devînt un portrait ressemblant. L'usage du masque moulé, utilisé parfois pour la parade des funérailles, facilitait la tâche du sculpteur lorsque le tombeau n'était pas préparé du vivant de son possesseur. Le visage des gisants devint ainsi le champ privilégié où les artistes du XIVᵉ siècle s'exercèrent à l'observation de l'accidentel.

Cependant le souci d'imprimer sa marque sur cette œuvre d'art essentielle qu'était le monument funéraire rejoignait un autre désir, moins conscient peut-être, mais tout aussi contradictoire à l'esprit de renoncement. Fixer ses traits dans la pierre, c'était les mettre à l'abri des ravages de la mort, c'était vaincre les puissances destructrices, c'était durer. Le visage irréel des gisants du XIIIᵉ siècle proclamait bien la même victoire, mais la transférait dans l'au-delà. Les hommes voulurent survivre également dans ce monde, sous leur visage de vérité. Il arrivait que, dans le déroulement de la cérémonie des funérailles, on figurât parfois le défunt en activité par des sortes de tableaux vivants. Lorsque Bertrand Du Guesclin fut porté en terre à Saint-Denis, «quatre hommes armés de toutes pièces, montés sur quatre coursiers bien ordonnés et parés, représentaient la personne du mort, quand il vivait». En tout cas, le portrait funéraire des chrétiens du XIVᵉ siècle vint assumer pour une part le rôle magique des effigies de l'ancienne Rome. Sur le tombeau à étages multiples, la figure du défunt agenouillé, ou bien trônant dans sa puissance — comme déjà à la fin du XIIIᵉ siècle Ferdinand de Castille à Séville, ou plus tard à Santa Chiara le roi Robert de Naples, dans les attitudes de la vie et reconnaissable aux traits de sa physionomie — signifiait en fait une revanche sur l'image du transi, qu'elle reniait.

De tels portraits se multiplièrent. Ils quittèrent bientôt les tombes. Ils accompagnèrent les représentations des saints et de Dieu sur les panneaux des retables, plus vivants que celles-ci, plus charnels. Ils envahirent peu à peu les espaces que l'art liturgique avait réservés jusque-là aux figures sacrées.

L'empereur Charles IV voulut retrouver ses propres traits sur les murs de la chapelle inférieure de Karlstein. L'effigie reconnaissable du comte d'Evreux vint emplir l'un des plus beaux vitraux de la cathédrale, en un lieu où seules trônaient naguère les silhouettes inaccessibles des prophètes. Sur les murs des églises se dressèrent des statues d'hommes. Pour complaire à son souverain, le même cardinal de Lagrange avait commandé, pour la cathédrale d'Amiens, les images du roi Charles V, de son conseiller Bureau de la Rivière, du dauphin, de son second fils, et la sienne propre. La façade de la cathédrale de Bordeaux accueillit, non plus les statues du Christ et des apôtres, mais celles du pape entouré des cardinaux. Trois siècles auparavant les moines clunisiens, dans les tremblements de la crainte sacrilège, avaient osé placer aux portails des sanctuaires l'apparition bouleversante de l'Eternel. Voici qu'en cet endroit même, au seuil du lieu sacré, aux Célestins, au collège de Navarre, à la chartreuse de Champmol, se montrèrent désormais les visages paternes des princes et des princesses, celui du roi de France Charles V, du duc de Bourgogne Philippe le Hardi, et de leurs épouses. La figure de l'homme, de l'homme naturel, les figures singulières de personnages qui n'avaient pas voulu mourir tout à fait, conquirent dans l'église même le domaine jusque-là réservé aux anges. Pour ces hommes nouveaux, qui avaient découvert le tragique de la mort, commençait l'ère du portrait.

A Vérone, un cavalier héroïsé, juché au sommet du dais funéraire, est venu couronner le mausolée du « tyran » Cangrande della Scala. Il ne porte pas un visage très ressemblant. Il proclame pourtant la victoire de l'homme et sa gloire. Cette effigie cavalière surgissait, poussée par deux aspirations convergentes à la survie profane. L'une incontestablement vient de Rome. Déjà, dans Bologne, les professeurs de l'Université qui commentaient le droit romain et qui, les premiers, firent pénétrer dans l'âme médiévale la nostalgie des textes antiques, avaient fait dresser hors des églises, publiquement, leurs sarcophages, comme des stèles. Sur les flancs de ces tombeaux, ils avaient voulu paraître dans leur puissance, dominant de leur chaire le peuple de leurs disciples. La figure équestre de Cangrande, celles, qui la prolongent, des autres Scaliger, puis, lorsque les ducs de Milan eurent conquis Vérone, celle de Bernabò Visconti, retrouvaient donc l'intonation des triomphes impériaux. L'art de la pompe politique dont l'empereur Frédéric II, renouant avec l'art des anciens Césars, avait jeté les fondements dans Capoue, aboutissait ici, dans ces cités soumises à la tyrannie et sur le tombeau public du seigneur, aux premiers monuments de la majesté civile. Il conférait aux princes morts l'immortalité de l'histoire. Mais ces hautes figures dressées sur la selle et sur les étriers chantaient encore une autre gloire, terrestre elle aussi, celle des héros de l'aventure courtoise. Sur les pays lombards, en effet, les voies alpestres déversaient le flot surabondant des mythes chevaleresques. Le val d'Adige, par le Brenner, conduisait à Bamberg, vers un autre Empire, chrétien et germanique celui-ci, cavalier mais féodal, et hanté par les prouesses de la geste française, de Roland, d'Olivier et de Perceval. Plus que des Césars triomphants, Cangrande ou Bernabò voulaient être des preux. La victoire en laquelle leur statue les fige est celle d'un tournoi. Ils survivent dans le renom de leur chevalerie, par l'écho, répété dans les chambres des dames, de leur vaillance et de leurs « appertises d'armes ». Ce sont aussi des saints Georges. Leur lance a pourfendu la mort comme un dragon. Contre la liturgie des gisants, contre la prédication des transis, l'art des sépultures nouvelles dressait, victorieux, le chevalier.

3

LA TOMBE

Les prescriptions canoniques avaient longtemps écarté du sanctuaire les tombeaux qui n'étaient pas ceux des saints: le lieu de rafraîchissement et de paix, que la liturgie des funérailles implorait Dieu d'accorder aux poussières de la chair jusqu'au moment de la résurrection, devait être placé hors des murs de l'église. Toutefois, lorsque les clercs eurent donné satisfaction aux croyances profanes en la survie des défunts, qu'ils eurent admis que l'âme pouvait après la mort bénéficier encore de grâces et recueillir les avantages spirituels gagnés par des services funèbres périodiques, il apparut à tous que le cadavre avait avantage à reposer le plus près possible des autels, dans le voisinage des saintes reliques et dans l'aire bienfaisante des cérémonies liturgiques. Les prélats et les grands obtinrent que leurs sépultures fussent aménagées dans l'église. Discrètement d'abord. Puis les sarcophages et les pierres tombales reçurent des inscriptions qui les identifiaient, des ornements figuratifs; ils portèrent bientôt, enfin, l'effigie du mort: l'art eut mission de maintenir celui-ci présent dans la mémoire des fidèles. Au XIVe siècle, lorsque la création de l'œuvre passa sous le gouvernement des laïcs, lorsque se multiplièrent les fondations de chapelles, lorsque la tendance au faste et à l'ostentation se donna libre cours, lorsque les princes et les seigneurs trouvèrent dans le décor monumental le moyen d'affirmer leur puissance, lorsque enfin, dans un christianisme qui se prêtait aux aspirations du vulgaire, toute la vie de piété vint s'ordonner autour de la pensée de la mort, l'art d'intention religieuse tendit à se concentrer sur le monument funéraire.

La liturgie des obsèques guide le défunt vers son salut. Elle rejoint donc tout naturellement la liturgie pascale, les rites qui célèbrent la gloire et la résurrection du Christ, gage de la victoire des chrétiens sur la mort. En Angleterre, quelques sépultures privées se trouvèrent pour cela conjointes à la représentation symbolique d'un Saint-Sépulcre, où les prêtres venaient chaque année chanter l'office de Pâques. Cependant dans ses formes les plus précoces, la sculpture des tombeaux visait d'abord à pérenniser la cérémonie des funérailles. Elle montrait une fête. Celle où les vivants rassemblés en escorte avaient rendu au corps présent du trépassé le dernier hommage terrestre. Celle où les hommes d'Église avaient rituellement préparé le corps pour sa résurrection de plénitude. Sur la tombe ornée, la figure centrale fut donc celle du gisant. Elle environnait le défunt, jusqu'à la fin des temps, de la somptuosité des lits de parade mortuaire, elle le revêtait de tous les attributs de son pouvoir temporel. Elle l'établissait dans la paix et le repos. Encore que, parfois, en bien des sépultures anglaises, on discerne sur le corps endormi un frémissement qui est comme un espoir de revivre. Sur les parois du sarcophage, sur celles de l'enfeu, de la niche, du simulacre de sanctuaire pratiqué pour abriter le tombeau dans le mur de l'église, les sculpteurs d'Espagne furent sans doute les premiers qui figurèrent le cortège funèbre. Mort en 1382, l'archevêque de Saragosse Lope Fernández de Luna fit disposer autour de son effigie, dans sa chapelle funéraire dédiée à l'archange saint Michel, l'assemblée des vingt-quatre prêtres et moines qui avaient administré l'absoute, de ses trois évêques suffragants et de douze gentilshommes de son sang. Tous déplorent sa mort en habits de deuil.

En Italie centrale la nouvelle sculpture célébrait déjà, dans le ton de l'ancienne Rome, la majesté publique. Elle vint bientôt orner les tombeaux. Dans l'église des Prêcheurs d'Orvieto, sur un sarcophage que des abstractions cosmatesques décorent discrètement, Arnolfo di Cambio sculpta à l'orée du Trecento le premier gisant de la péninsule. La tombe italienne, cependant, tient de l'arc de triomphe. Elle s'étage comme un théâtre aux multiples tableaux. Arnolfo plaça donc une seconde effigie du défunt dans les arcades supérieures de l'enfeu. Figure non plus morte, mais vivante, déjà ressuscitée: deux saints patrons la présentent à la Vierge. A Pise, pour le tombeau de l'empereur Henri VII, Tino di Camaino choisit une disposition semblable, la modifiant toutefois pour exalter la gloire terrestre du prince et l'idée même de l'Empire. Lorsqu'il relève le souverain de sa couche mortuaire, ce n'est point pour l'agenouiller: il l'assied sur un trône, au milieu de ses conseillers vivants.

A Naples, à Santa Chiara, pour les rois angevins, toute une série de monuments funéraires s'achève en 1343 par l'énorme mausolée de Robert le Sage. L'enfeu se transforme ici en ample baldaquin, construit comme un portail de cathédrale. Une foule de figures, prophètes, apôtres, sibylles, saints de l'Ordre franciscain, se rassemble autour d'une représentation culminante, celle du Christ en gloire. Au cœur de l'édifice, sur les flancs mêmes du sarcophage, la puissance de la race royale est célébrée: le mort y siège en majesté, flanqué des princes qui régneront après lui et soutiendront la gloire du lignage. Le roi Robert reparaît encore trois fois. Il gît, pieds nus, dans la robe de bure que, tertiaire de Saint-François, il avait revêtue pour mourir. Image d'humilité. Les allégories des sept Arts libéraux lui font cependant cortège, car, bien avant Charles V de France, le souverain de Naples avait conçu son pouvoir terrestre comme un magistère de sagesse. Sur l'estrade qui surplombe le lit funèbre, Robert trône; il a rejoint les Césars dans l'immortalité des triomphes civiques. Plus haut, Robert revit, cette fois dans l'au-delà du christianisme, priant la Vierge, et ses saints protecteurs, François et Claire, l'assistent. La décoration funéraire s'est ici dégagée de la liturgie et chargée d'un double message, politique et spirituel. Elle devient manifestation simultanée de gloire et d'espérance. Le monument prolonge le souvenir d'une réussite humaine; il affirme les vertus du renoncement, la confiance dans les pouvoirs médiateurs des saints et de Marie.

Mais au seuil du XVe siècle, on voit apparaître sur les sépulcres, en réponse aux inflexions nouvelles de l'inquiétude religieuse, un autre aspect de la mort. Un aspect tragique, propre à inspirer l'effroi et, par ce biais, le mépris de la chair fragile. Le cardinal de Lagrange, qui mourut en 1402, fit représenter sur sa tombe son cadavre en pleine corruption. Tandis que, pour des patriciens de Florence, Masaccio figurait, à la place du gisant, l'un des squelettes qui déjà commençaient à gambader dans les Danses macabres.

LA TOMBE

1. Arnolfo di Cambio (vers 1245-1302?): Tombeau du cardinal Guillaume de Braye (mort en 1282). Orvieto, Eglise Saint-Dominique.

2. Mausolée de l'archevêque Lope Fernández de Luna (mort en 1382), de Pere Moragues. Cathédrale de Saragosse, Chapelle Saint-Michel.

3. Pierre tombale du chevalier Ulrich von Husz (mort en 1344) provenant du couvent des Antonites à Ussenheim. Colmar, Musée d'Unterlinden.

4. Giovanni et Pacio da Firenze: détail du tombeau de Robert II d'Anjou, roi de Naples – 1343-1345. Naples, Eglise Santa Chiara.

5. Le transi du cardinal de Lagrange (mort en 1402), partie inférieure de son tombeau. Avignon, Musée lapidaire.

6. Giovanni di Balduccio (actif, 1317-1349): Châsse de saint Pierre martyr – 1335-1339. Milan, Eglise Sant'Eustorgio.

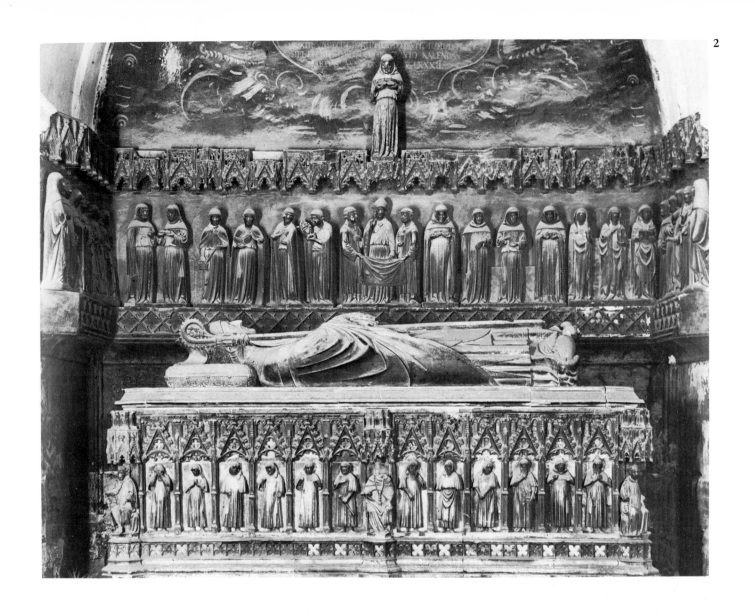

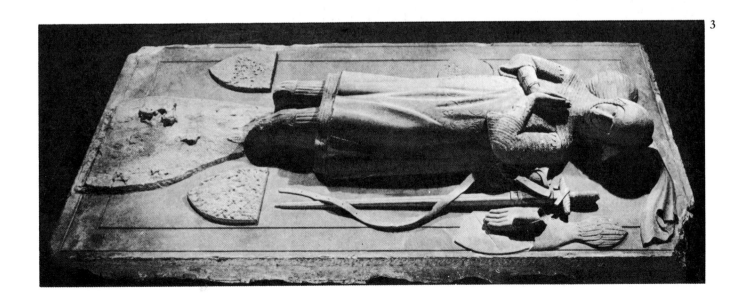

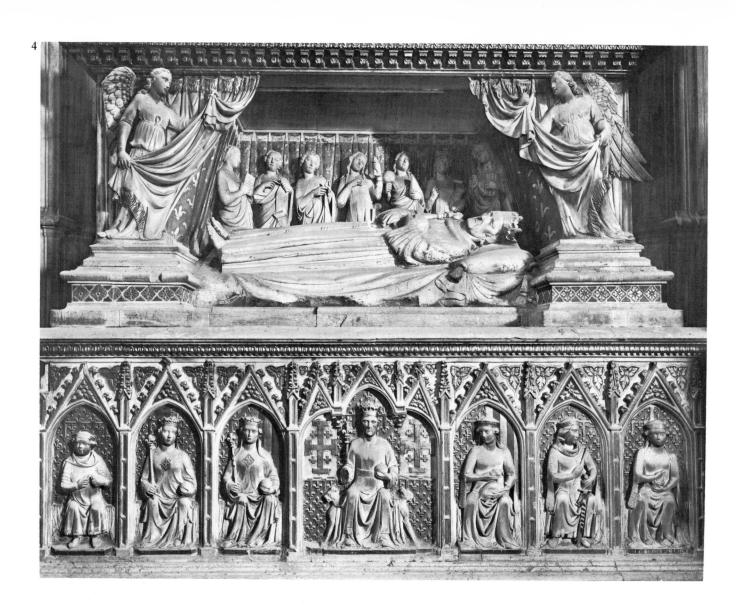

Au Trecento, les communes d'Italie se sont presque toutes inclinées sous le pouvoir d'un tyran. Il s'est établi de force, ou bien il a reçu la « seigneurie » des clans patriciens, qu'avaient lassés l'enchaînement des vengeances, les complots, les émeutes, et qui espéraient, sous l'autorité d'un seul, voir renaître la paix propice aux affaires. Ces maîtres, petits ou grands, doivent le plus souvent leur succès à la valeur de leur condotte, *de la bande de mercenaires qu'ils emploient ; mais ils aiment à s'imaginer sous les traits d'un dictateur à l'antique, et ces aventuriers déjà croient entendre l'écho de leurs vertus se répercuter de siècle en siècle. Les humanistes, sur le ton de l'ancienne Rome, chantent leurs louanges et célèbrent leurs exploits dans leur cour. Nulle part, en ce temps, on ne parle plus haut de la gloire.*

Ainsi, à Vérone, à Milan, règnent les chefs de vieille race aux dents longues. Ils vivent en princes, dans l'ivresse de la toute-puissance, violents, astucieux, rapaces. Ils chassent, leur vaillance au combat cavalier fait leur prestige. Ils aiment à revêtir, pour la parade, pour les tournois où ils brillent à la tête de la jeunesse, la cuirasse de Roland ou de Lancelot, et cherchent à légitimer leur pouvoir en mimant les exploits des preux. Mais il ne faut pas qu'ils meurent ; leur prestige est encore trop mal assis ; d'autres pourraient prendre leur place ; une génération ne suffit pas pour que l'usurpation s'oublie : le tyran mort doit donc se transformer en héros. Lorsqu'un Scaliger a cessé de vivre, ses fils d'abord taisent un moment l'événement, puis ils font dresser son sarcophage dans Vérone, publiquement, au cœur de la cité soumise. Une effigie équestre surmonte ce tombeau : c'est l'emblème du triomphe politique. Le galop des joutes et l'envol des soirs de conquête emportent ainsi, pour l'éternité, Cangrande della Scala.

A Milan, derrière le maître-autel de San Giovanni in Conca, Bernabò Visconti, lui, trône immobile, sur un cheval nu, dans la seule escorte de ses vertus. Ce n'est pas pour se prosterner au paradis qu'il a traversé la mort ; c'est pour combattre encore et pour demeurer le maître dans sa ville.

BONINO DA CAMPIONE (ACTIF, 1357-1388) - TOMBEAU EN MARBRE DE BERNABÒ VISCONTI - 1370.
MILAN, CASTELLO SFORZESCO, MUSÉE ARCHÉOLOGIQUE.

MONUMENT FUNÉRAIRE DE CANGRANDE DELLA SCALA - 1329.
VÉRONE, MUSÉE DU CASTELVECCHIO.

Les rares pièces d'or qui circulaient en Occident pendant le haut moyen âge portaient sur l'une de leur face le visage d'un empereur, celui de Byzance. A la puissance suprême, au guide du peuple de Dieu appartenait en effet le privilège de frapper à son effigie le métal noble. Des empereurs d'Occident, Frédéric II avait été le premier, au XIIIe siècle, à reprendre ce droit : ses « augustales » d'or répandirent l'écho de sa gloire. Mais dans l'Europe du Trecento, la monnaie d'or était devenue infiniment plus commune ; tous les marchands la maniaient ; elle était émise dans les cités les plus prospères d'Italie, à Florence, à Gênes, et aussi, quelque peu, par les rois. Des visages de princes ne marquaient pas cependant ces instruments du grand commerce et de la fiscalité ; on ne voyait le profil de l'homme que sur les médailles, dont les amateurs de beaux objets prenaient le goût à la fin du XIVe siècle. Ils les collectionnaient, recherchaient les frappes anciennes et en faisaient exécuter des copies par leurs artistes domestiques. Jean de Berry en conservait dans son trésor une admirable série ; celles-ci, en vérité, montraient toujours les effigies des empereurs de Rome, et non pas celle du duc. Dans les cours françaises, seuls les héros de l'histoire antique paraissaient dignes, alors, de l'art des médailleurs.

L'innovation vint, encore une fois, d'Italie. Les tyrans des communes, les aventuriers de la politique et les princes minuscules des rochers de Ligurie et de l'Apennin voulaient par tous les moyens affirmer une autorité que menaçait à chaque instant l'intrigue et les condottieri : ils furent les premiers à oser substituer leur profil à celui des empereurs ou des dieux ; ils appelèrent les meilleurs artistes à figurer dans l'or la vérité de leur visage.

Comme les médailles, les portraits peints étaient expression de souveraineté et d'orgueil. Les plus anciens montrent aussi des profils, et ceux des rois. Mais bientôt vinrent poser devant les peintres, dans des postures impériales, tous les dignitaires de cour, les parents, les amis, les favoris du maître, ceux qu'il associait à son pouvoir, et même quelques-uns de ces hommes d'affaires qui se haussaient dans la faveur du prince.

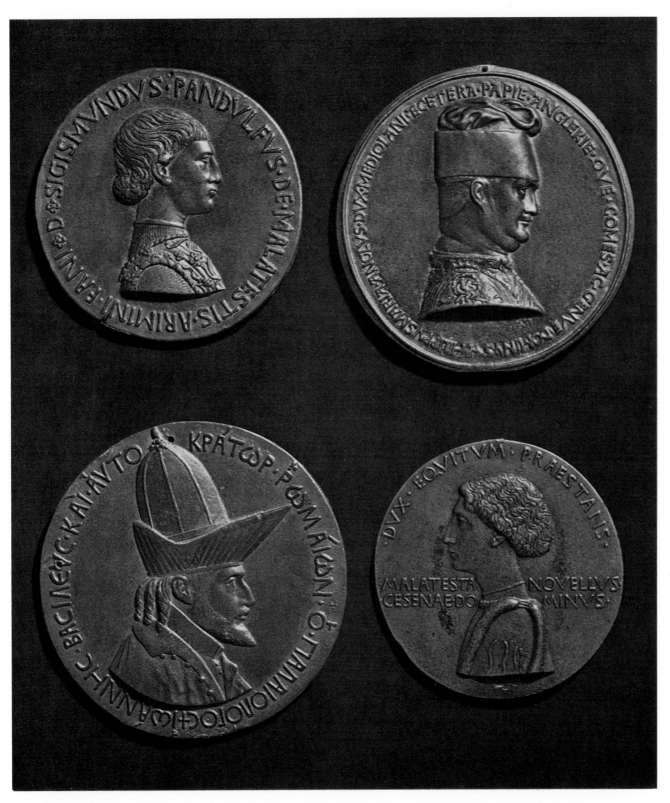

ANTONIO PISANELLO (1395-VERS 1455) - QUATRE MÉDAILLES EN BRONZE PORTANT L'EFFIGIE DE SIGISMONDO PANDOLFO MALATESTA,
FILIPPO MARIA VISCONTI, JEAN VII PALÉOLOGUE ET DOMENICO MALATESTA. FLORENCE, MUSÉE NATIONAL DU BARGELLO.

JEAN VAN EYCK (1385/90-1441) - PORTRAIT DE GIOVANNI ARNOLFINI - VERS 1434.
BERLIN-DAHLEM, STAATLICHE MUSEEN.

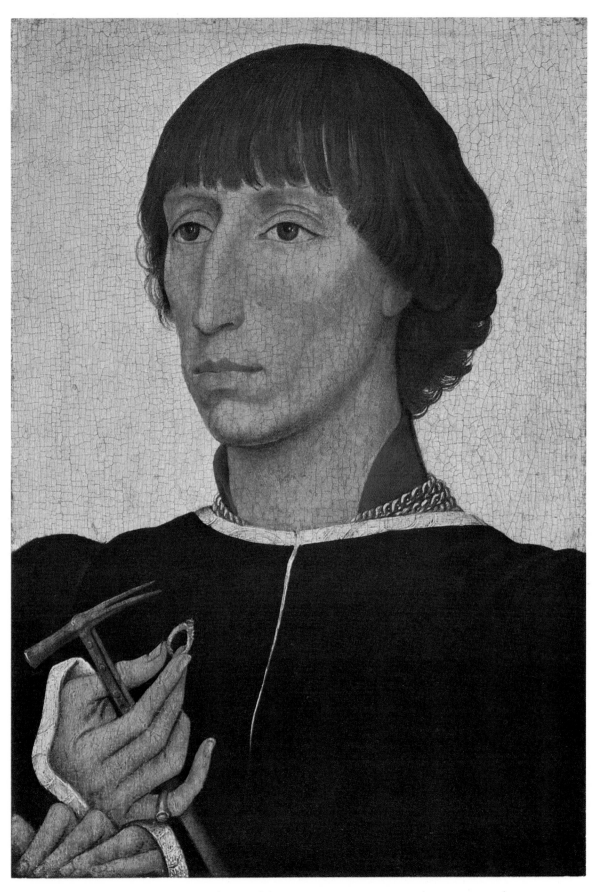

ROGER VAN DER WEYDEN (1399-1464) - PORTRAIT DE FRANCESCO D'ESTE - VERS 1460.
NEW YORK, METROPOLITAN MUSEUM OF ART.

141

4

LE PORTRAIT

Un tombeau est une possession personnelle. Le mécène du XIVe siècle voulut marquer sa sépulture, comme il marquait sa chapelle, son armure ou sa demeure, d'un signe intelligible d'appropriation. Il souhaitait ainsi prolonger son souvenir. Il voulait que, jusqu'à la fin du monde, ceux qui viendraient prier près de sa tombe ne cessassent point de penser à lui. Les emblèmes héraldiques, communs à tout un lignage, ne lui semblaient pas pour cela suffisants. Il exigea des artistes que son effigie portât les traits ressemblants de son visage. Sans doute nourrissait-il aussi l'espoir secret de vaincre de cette manière la déchéance corporelle. C'était un moyen de survivre.

Cette survie, le visage de perfection des gisants du XIIIe siècle la situait dans l'au-delà, dans la gloire de la résurrection. La sculpture de la cathédrale avait représenté des corps qui échappaient aux dommages de la vie terrestre; elle les montrait dans l'âge de leur accomplissement physique, tels que, selon le dogme, ils devaient se lever des tombes à l'appel de la trompette, dans la lumière insoutenable de Dieu. Mais les vivants du XIVe siècle n'étaient plus satisfaits de ces abstractions. Ils entendaient être reconnus. Faisaient-ils édifier leur sépulture avant leur mort, ils posaient devant les sculpteurs. Et lorsque ceux-ci avaient à représenter un personnage défunt, ils cherchaient volontiers à en saisir la physionomie dans sa ressemblance sur le masque employé pendant la parade des funérailles. A Naples, les artistes chargés de figurer vivant, sur son trône, le roi Robert le Sage, prirent le moulage de la face morte et se contentèrent d'en ouvrir les yeux; ils offrirent ainsi du souverain en majesté une effigie terrifiante, un visage égaré, brusquement surgi de la nuit, celui de l'Eternel farouche de la première sculpture romane.

Résolument expressionniste, l'art du portrait funéraire sut atteindre rapidement à la vérité la plus aiguë. En témoignent, sur des registres divers, la plate tombe de l'évêque d'Augsbourg, Wolfhart von Rot, mort en 1302, celle de Frédéric de Hohenlohe, à Bamberg, ou, dans la cathédrale de Canterbury, le tombeau dressé du Prince Noir. Ce fils du roi Edouard III d'Angleterre, après la capture de Jean le Bon à Poitiers, après le massacre des habitants de Limoges en 1370, avait incarné pour tout l'Occident les vertus de la guerre efficace. La dureté, la franchise incisive du trait convenaient à ce sombre héros. La même rudesse exalte les prouesses de tous les chevaliers morts, emprisonnés dans le heaume. Elle sied aussi à l'autorité des princes évêques, ces grands rapaces qui sont entrés dans l'au-delà les poings serrés sur leurs privilèges. Les tombiers cependant devaient aussi sculpter des images de défuntes. Ils savaient alors employer une écriture d'élégance pour traduire toutes les séductions de l'enveloppe charnelle. Ainsi, sur le sépulcre familial de Beverley Minster, parmi les agréments que dispense une architecture de rêve, le visage de Lady Percy revit pour les plaisirs de la courtoisie. Des angelots porteurs de guirlandes environnent de grâces le corps d'Ilaria, la jeune épouse du tyran de Lucques; Jacopo della Quercia la fait reposer dans la sérénité de sa beauté parfaite.

Lorsque la grande statuaire politique renaît en Italie, elle propose des effigies princières qui ne surmontent plus des cadavres, mais des triomphes. Les premières figurent encore l'abstraction. A Capoue, Frédéric II, son chancelier Pierre de la Vigne n'apparaissent pas dans la singularité de leur physionomie; ils portent le visage de Tibère ou de Caracalla; le symbolisme héroïque des bustes romains les situe dans l'immortalité de l'histoire. Mais, dans la seconde moitié du XIVe siècle, le vieil Empire n'était plus qu'un rêve; des Etats morcelaient l'Occident, et chaque prince prétendait détenir, dans

les limites de son domaine, la totalité de l'*imperium*. Les attributs de l'autorité suprême, comme tant d'autres valeurs culturelles, se vulgarisèrent. Tous les puissants d'Europe désirèrent apparaître de leur vivant sculptés dans la pierre peinte, comme l'avaient été autrefois Frédéric de Hohenstaufen ou le pape Boniface VIII. Ils voulurent se montrer à la postérité dans la monumentalité de leur souverain empire. Mais ils voulurent aussi que quiconque pût les identifier à leurs traits. Les artistes adaptèrent à cette fin la sculpture des cathédrales. Celle-ci, de longue date, représentait le Christ comme un roi; elle inclinait depuis peu à revêtir le corps de Dieu et des apôtres de toutes les parures de la fête mondaine, à l'animer, à l'infléchir dans les gestes quotidiens, à le ramener vers la vie des hommes. Il suffit donc aux tailleurs d'image de substituer au visage des princes de l'au-delà le visage de leur maître et de donner à celui-ci la ressemblance qui déjà, sur les tombeaux, marquait le visage des défunts. De telles représentations ornèrent les palais; beaucoup s'établirent aussi sur la façade des églises. Philippe le Hardi commanda à Claus Sluter sa statue priante pour le portail de Champmol. Celle du duc Albert de Habsbourg, sculptée entre 1360 et 1380, siégea dans un tabernacle triangulaire au haut d'une des tours de Saint-Etienne, à Vienne.

La nouvelle statuaire n'eut point de peine à placer les souverains de pierre dans le voisinage des prophètes: ceux-ci, en effet, n'appartenaient plus guère au sacré. Alors que, même agenouillées, les épouses des princes se mêlent malaisément au cortège des saintes. Car l'élan de spiritualité qui convergeait alors vers Marie maintenait de fortes distances entre les figures de Vierges et celles du commun des femmes. Il fallut l'invincible progrès du mouvement de laïcisation pour que, dans le triomphe des valeurs profanes, des effigies féminines pussent, à l'approche du XVe siècle, radieuses de leur seule beauté, affronter des images de la Mère de Dieu, qui devenaient elles-mêmes trop charmantes. L'artiste qui dressa l'image de la reine de France Isabeau de Bavière dépouilla le corps souple, le corps tentant, de tous les reflets de la surnature. La perfection qu'il visait n'appartenait qu'à la chair et au bonheur du monde. Il dédiait la statue à la féminité.

LE PORTRAIT

1. Gisant de l'évêque Wolfhart von Rot (mort en 1302). Cathédrale d'Augsbourg.

2. Lady Eleanor Percy (morte en 1328), détail du tombeau des Percy, Beverley Minster (Yorkshire).

3. Tombeau du Prince Noir – 1376. Cathédrale de Canterbury.

4. Jacopo della Quercia (vers 1374-1438): Tombe d'Ilaria del Carretto, détail – 1406-1413. Cathédrale de Lucques.

5. Claus Sluter (mort en 1406): Philippe II le Hardi, duc de Bourgogne – fin du XIVe siècle. Portail de l'église de la Chartreuse de Champmol.

6. Statue du duc Albert II de Habsbourg, provenant de la cathédrale Saint-Etienne à Vienne – 1360-1380.

7. Statue de l'évêque Frédéric de Hohenlohe (mort en 1352), par le «Wolfskeelmeister» de Würzbourg. Cathédrale de Bamberg.

8. La reine Isabeau de Bavière – fin du XIVe siècle. Palais de Poitiers.

3

4

147

7

III

POSSESSION DU MONDE

LES MYTHES DE LA CHEVALERIE

Pris dans l'armure et dans la fierté de ses victoires, le cavalier des sépulcres lombards se rangeait parmi les héros. Il allait rejoindre le groupe des neuf Preux, que la société mondaine avait choisis pour symboles de ses vertus et de son amour de la vie. Josué, David et Judas Macchabée, Hector, Alexandre et César, Arthur, Charlemagne et Godefroi de Bouillon, ces neuf figures exemplaires, que Giotto déjà peignit au palais royal de Naples, qui paraissent sur tant de tapisseries tissées pour les princes, et dont les statues décoraient vers 1400 les résidences seigneuriales rénovées, sortaient tous immortalisés de l'histoire. Les premiers, des « histoires saintes » de l'Ancien Testament; les autres, d'une histoire antique révélée peu à peu par le succès croissant des ouvrages translatés de la littérature latine; les trois derniers, des histoires développées, en un tissu touffu d'épisodes, par les chansons de geste et par les romans de la « matière de France » et de la « matière de Bretagne ». La composition de ce cortège montre bien comment s'est nourrie la culture chevaleresque. Elle a tiré des livres des prêtres la majorité de ses héros, mais en choisissant la plupart d'entre eux dans les récits profanes. Rome au centre; sur un flanc Jérusalem, sur l'autre Aix-la-Chapelle, « douce France » et Windsor; à l'arrière-plan, des rêves d'empire, d'Orient et de croisades. Point de saints parmi eux, point de clercs. Des hommes d'épée, des rois et des guerriers qui ont vaincu, dans l'honneur. Puissance et prouesse. Et pour que le modèle englobât l'autre face de la culture chevaleresque, neuf Preuses bientôt leur furent adjointes, neuf figures féminines, issues, elles aussi, trois par trois, de la Bible, des récits antiques et de la poétique des cours, et qui incarnèrent les valeurs de courtoisie.

Dans l'existence des hommes et des femmes dont l'œuvre d'art au XIVe siècle avait pour mission d'illustrer les désirs de faste et de bonheur, l'imitation des neuf Preux et des neuf Preuses alternait avec l'imitation de Jésus-Christ. Elle la complétait.

Il importait de mimer, dans la vie, les gestes des héros, comme l'on mimait, dans l'attente anxieuse de la mort, ceux du Sauveur. Une surabondante production littéraire diffusait donc partout la minutieuse description de ces comportements exemplaires. L'ordonnance des fêtes et des cérémonies en offrait une transposition symbolique. Ce jeu mimé toutefois ne se développait pas sur le théâtre, encore que les « entremets », qui coupaient les festins d'intermèdes divertissants, en présentassent souvent des tableaux vivants. Ils se déployaient surtout dans les rites fascinants des nouveaux ordres de chevalerie.

Grisé par la lecture de l'interminable roman de Perceforest, Edouard III, le roi victorieux d'Angleterre, s'appropria en 1344 le dessein de son rival en courtoisie, Jean, le futur roi de France, alors duc de Normandie. Froissart a raconté qu'il lui « vint dans ce temps en propos et volonté de refaire et réédifier le grand château de Windsor, que le roi Arthur fit jadis fonder. Là fut premièrement commencée et instaurée la noble Table Ronde, dont sortirent tant de bons vaillants hommes, qui travaillèrent en armes et en prouesses par le monde. Le roi décida qu'il ferait un ordre de chevaliers rassemblant lui-même ses enfants et les plus preux de sa terre. Ils seraient quarante. On les nommerait les Chevaliers de la Jarretière Bleue. La fête serait tenue d'année en année solennellement à Windsor le jour de la saint Georges. Pour commencer, le roi d'Angleterre assembla de tout son pays comtes, barons et chevaliers, et leur dit son intention, et le grand désir qu'il avait d'entreprendre la fête. Tous furent d'accord joyeusement, car cela leur semblait une chose honorable et où tout amour se nourrirait. Alors furent élus quarante chevaliers jugés, par avis et renommée, plus preux que tous les autres. Ils s'obligèrent par foi et serment envers le roi à tenir et poursuivre la fête et l'ordre, tels qu'ils étaient prévus et organisés. Le roi fit fonder et édifier une chapelle de Saint-Georges au château de Windsor et y établit des chanoines pour servir Dieu.

Afin que ladite fête fût sue et connue dans toute province, le roi d'Angleterre l'envoya publier et annoncer par ses hérauts en France, en Ecosse, en Bourgogne, en Hainaut, en Flandre, en Brabant et aussi dans l'Empire d'Allemagne. Il donna à tous les chevaliers et écuyers qui y voudraient venir quinze jours de sauf-conduit après la fête. Devait être à cette fête une joute de quarante chevaliers attendant tous les autres et quarante écuyers aussi. La reine d'Angleterre y serait, accompagnée de trois cents dames et demoiselles, toutes nobles et parées de manière semblable ». Une confrérie fermée donc, présidée par le souverain, recrutée par concours sur titre de prouesse, réunie comme toutes les fraternités de ce temps autour d'une chapelle. Un patron spirituel, saint Georges, le héros des joutes victorieuses. Un engagement de vie, le vœu de pratiquer certaines vertus. Une parure spéciale, un signe de vaillance, une devise, une fête annuelle enfin, le jour du saint patron, pour célébrer devant les dames la gloire des meilleurs. Ainsi s'ordonne, dans un cadre emprunté aux associations de piété, la nouvelle liturgie profane. Le roman courtois s'y substitue aux laudes, et les exercices d'excellence mondaine aux macérations collectives. Réplique exacte des confréries des *laudesi*, les nouveaux ordres de chevalerie visaient à représenter une éthique et à en assurer le succès par l'agencement périodique d'un jeu collectif. Comme elles, ils en appelaient la figuration, la transposition en scènes et en images. Or les prescriptions de cette morale ne disciplinaient pas seulement les compagnies fermées qui environnaient les rois et les princes. Elles réglaient un type de conduite que prenaient comme idéal commun tous ceux qui rêvaient de s'introduire dans la noblesse, d'être tenus pour gentilshommes. Gentillesse, le mot signifie bonne naissance. A ceux qui n'étaient pas nés nobles — les capitaines honorés par le succès des armes, les bourgeois enrichis — il convenait de mener mieux que personne le jeu chevaleresque et courtois. Les mythes de chevalerie et les rites qui leur conféraient la réalité dans la vie quotidienne s'imposèrent donc à l'ensemble des riches, c'est-à-dire à tout le groupe social qui pratiquait le mécénat. Voici pourquoi, dans l'art du XIVe siècle, l'imaginaire de courtoisie répond, symétrique, à l'imaginaire de dévotion.

Comme la *Bible des pauvres*, les *Artes moriendi* ou les fresques des chapelles, ces illustrations avaient fonction d'exemple et d'enseignement moral. Elles développaient donc trois thèmes principaux, accordés aux trois tonalités fondamentales de la joie chevaleresque. Considérons les innombrables tapisseries que firent exécuter le roi de France Charles V et ses frères. La plupart représentaient des scènes religieuses: elles servaient à tendre des chapelles. Mais parmi les autres venaient d'abord des images de « guerrerie » ou de tournoi: Hector devant Troie, le combat de Cocherel ou les joutes de Saint-Denis. « Les chevaliers de notre temps, dit le *Songe du Verger*, font dans leurs salles peindre batailles à pied et à cheval afin que par *manière de vision* ils prennent de la délectation en batailles *imaginatives*. » La première mission de la noblesse, son devoir essentiel ne consistait-il pas en effet à combattre pour les bonnes causes? Le gentilhomme se libérait dans les armes de sa puissance agressive, disciplinée par les règles de l'honneur. La plupart des tapisseries profanes étaient cependant aussi des « verdures ». Elles disposaient contre les murs un décor qui supprimait ceux-ci, et qui ouvrait les salles des châteaux sur la nature libre et bonne. Car les héros de chevalerie sont des hommes de plein air; ils galopent, la fleur de mai au poing, dans les bois printaniers; quand passe un lièvre, ils lâchent la bataille pour le courre. La forêt offre le décor obligé, mystérieux et magique, de tous les romans d'aventure, et les seigneurs font du verger le lieu d'élection de leurs plaisirs plus calmes. Le dernier thème enfin est celui de l'amour, gouverné par le code de courtoisie. Toutes les tentures du *Triomphe d'amour*, de la *Déesse d'amour*, que les princes, autour de 1400, commandèrent aux lissiers de Paris, d'Arras ou de Mantoue, célébraient cette ritualisation de la convoitise sexuelle, où l'éthique chevaleresque trouvait son couronnement.

A ces trois valeurs maîtresses, qui toutes sont des valeurs de conquête, la joie de combattre, la joie de chasser et de s'ébattre dans la liberté de la vie naturelle, la joie de courtiser enfin, les mouvements de la société, la promotion des gens d'affaires, l'ouverture progressive de l'aristocratie aux parvenus, venaient en mêler une autre, valeur celle-ci d'accumulation: la joie de posséder. Introduction en vérité très progressive, clandestine, inavouée. Car la chevalerie se proclamait avant tout largesse, c'est-à-dire générosité, esprit de magnificence et de prodigalité, et condamnation abrupte de toute ladrerie. Toutefois, une assurance satisfaite dans le bien-être de la richesse acquise s'insinuait peu à peu dans la morale mondaine. On voit ce sentiment s'affirmer d'abord parmi les élites urbaines de l'Italie centrale, où il venait heurter l'exhortation des Frères mendiants à la pauvreté. On veut que Giotto ait composé une chanson fort âpre contre les prédicateurs d'abstinence, et qui proposait, contre le dénuement total, un autre idéal, de mesure et d'équilibre. Dans la chapelle de Padoue, décorée pour un homme enrichi dans la banque, la vertu reine, la seule qui porte couronne, est bien en effet la Justice, c'est-à-dire l'exacte distribution des richesses. Sans doute Pétrarque célébrait-il l'austérité des Romains de la République, et Boccace le détachement du monde que prônaient ses modèles stoïciens. Sans doute l'Ordre mendiant des Jésuates fut-il fondé en 1360 par un homme d'affaires de Sienne, Giovanni Colombini, qui avait distribué tous ses biens aux pauvres, et la dévotion des Florentins se trouvait tout entière orientée vers Santa Croce et Santa Maria Novella, églises mendiantes. Aussi bien, celle des princes des fleurs de lys vers la pauvreté absolue des Célestins ou des Chartreux. Mais à la fin du siècle, le Dominicain Giovanni Dominici réhabilitait aussi la richesse; il la montrait comme un état auquel certains hommes accèdent légitimement, par la grâce de Dieu. Il apportait ainsi la caution de l'Eglise prédicante des grandes villes prospères à un Leonardo Bruni, secrétaire de la République de Florence, qui, s'appuyant sur l'autorité de Cicéron des *Tusculanes* et du Xénophon des *Economiques*, proclamait que la richesse, à condition qu'on l'ait gagnée soi-même, offre un moyen sûr d'accéder à la vertu.

Les valeurs de joie de l'éthique profane, l'orgueil d'être riche qu'elles impliquaient, et qui soustendait leur volonté de plaisir, exaltaient donc les bonheurs de la vie, et tout ce que l'homme perd en mourant. Elles s'opposaient, résolument antinomiques, aux valeurs de dévotion, et leur victoire dans le XIVe siècle démontrait la vanité de tous les efforts antérieurs de l'Eglise pour les christianiser. On pouvait bien présenter l'opulence comme une bénédiction du Seigneur, adjoindre un chapitre de chanoines aux confréries chevaleresques et bénir les coursiers, montrer dans les beautés naturelles l'image de Dieu créateur et rêver d'une transmutation dans l'amour divin du dévouement de l'amant à la dame élue — c'était en vérité revêtir les vertus du siècle d'un manteau d'emprunt qui ne dissimulait en rien leurs séductions. C'était en fait capituler devant l'émergence irrésistible de leur puissance.

L'irruption de joie terrestre illustre la conversion profonde d'une civilisation qui devenait laïque. Ce temps vit l'efflorescence d'une orfèvrerie prestigieuse, et qui naissait sur l'ordre des princes, non plus sur celui des prélats. Comme l'art des temps carolingiens, son art culmine sans doute dans le bijou. Pour Suger, qui les aimait, les pierres précieuses, cristallisation d'une lumière divine, préfiguraient les splendeurs d'un univers de vérité, encore masqué par les apparences obscures du monde sensible, et qui ne se dévoileraient qu'au Dernier Jour. Mais, dans la main fermée de Jean de Berry, ou de son cousin le duc de Milan Jean Galéas, le joyau, c'est la joie du monde, tout entière enfin possédée.

ARNOLFO DI CAMBIO (VERS 1245-1302?) - STATUE DE CHARLES Ier D'ANJOU, ROI DE SICILE - 1277. ROME, MUSÉES CAPITOLINS.

En 1310, Jacques de Longuyon, poète de cour, rima les Vœux du Paon, dont les vers contournés décrivaient le cortège des neuf Preux. Chaque seigneur, désormais, chaque jeune chevalier soucieux, comme dit Froissart, de s'avancer dans les armes, de monter vers la gloire, s'appliqua à se comporter comme eux. A l'image des saints, héros de la contrition et des luttes pour le salut, vint se joindre celle des champions cuirassés, héros des mythes chevaleresques. La figure du preux, exemple de vaillance et de « gentillesse », domina tous les rites mondains qui, par le mime et les symboles, faisaient revivre ses exploits. Le duc Jean de Berry voulut voir reproduites sur une suite de tentures les neuf effigies héroïques qui déjà se dressaient sur l'une des cheminées du palais de Bourges. La tapisserie édifie une architecture imaginaire, dont les frondaisons entrecroisées évoquent l'espace sans mesure de la forêt, et qui ménage des niches étagées pour l'alternance des chants et des discours de fête. Jules César, l'un des trois preux du paganisme, siège ici sur le trône de l'Empire. Sa barbe carolingienne, sa couronne, l'armure de plate qui le revêt, le situent hors du temps, dans le présent perpétuel des parades courtoises.

L'histoire elle-même devient une suite de fêtes. Fêtes militaires, batailles traitées comme des tournois et tournois qui s'achèvent en batailles, où l'on se rend paré comme pour des noces, où les vainqueurs, au soir des combats, servent à table les vaincus qu'ils ont capturés. Le langage de l'art des cours relie sans peine l'image de l'actualité aux représentations du rêve. Tous ses thèmes, l'illustration des couronnements, des romans ou des chansons amoureuses, la scène de l'Annonciation, celle bien sûr de l'Adoration des Mages, mais la figuration même de la Vierge d'humilité ou du Calvaire sont prétextes à décrire des costumes. La culture chevaleresque revêt Marie, les saints et tous les héros de ses mythes d'un faste vestimentaire dont resplendissaient seules autrefois la liturgie de l'Eglise et celle de la royauté. La fête est avant tout joie de se parer, de dépouiller les habits communs pour des vêtements d'irréel.

Dès la fin du XIIIe siècle, la haute sculpture de la cathédrale commence à entrer dans le jeu. A Strasbourg, le Tentateur, les Vierges qu'il va dévoyer, sont gagnés aux plaisirs du monde. L'artiste les condamne ; il fait ruisseler les reptiles sur le manteau du Tentateur ; il imprime à l'élégance des Vierges folles des inflexions quelque peu perverses. Mais il la montre. Telle qu'elle est : chatoyante et débordante de séductions.

NICOLAS BATAILLE (?) - JULES CÉSAR, UN DES HÉROS PAÏENS DE LA TAPISSERIE DES NEUF PREUX - VERS 1385.
NEW YORK, METROPOLITAN MUSEUM OF ART, THE CLOISTERS COLLECTION.

LES ÉLUS A L'ENTRÉE DU PARADIS, SCULPTURE DU TYMPAN DU PORTAIL CENTRAL - FIN DU XIIIe SIÈCLE.
CATHÉDRALE DE LÉON.

TABLETTES A ÉCRIRE REPRÉSENTANT LES JEUX DE « LA GRENOUILLE » ET DE « LA MAIN CHAUDE » - IVOIRE.
VERS 1375-1380. PARIS, MUSÉE DU LOUVRE.

LE TENTATEUR, DEUX VIERGES FOLLES ET UNE VIERGE SAGE,
STATUES DÉTACHÉES DE LA FAÇADE
DE LA CATHÉDRALE - VERS 1280.
STRASBOURG, MUSÉE DE L'ŒUVRE NOTRE-DAME.

EROS

Pour le chevalier, et pour le grand bourgeois qui se force à l'imiter afin de paraître gentilhomme, les richesses du monde doivent flamber et se consumer dans la fête. La société féodale n'avait jamais conçu l'exercice du pouvoir et la pratique des armes sans un environnement de faste et de gaspillage. Le bon seigneur était le plus magnifique, celui qui puisait sans compter dans ses coffres pour distribuer autour de lui les splendeurs. Pour être aimé et servi, il devait vivre constamment dans le plus grand équipage, organiser des réjouissances, convier tous ses amis à l'assouvissement collectif de convoitises, qui peu à peu s'étaient affinées et ordonnées.

Chacun des actes de l'existence noble offrait l'occasion d'une fête. La liturgie qui réglait le déroulement de ces flambées de joies terrestres se disposait en deux faces. La fête est en effet d'abord, par essence, cérémonie rituelle d'ostension: le seigneur se montre dans sa puissance et dans sa gloire, revêtu de toutes les bijouteries de son trésor; il a distribué des robes neuves à tous ceux qui ont répondu à son invite; il les a revêtus de son propre éclat. Mais par essence également, la fête est cérémonie rituelle de destruction, offrande au plaisir de vivre, holocauste, sacrifice célébré par les maîtres des biens accumulés longuement dans la peine par le labeur des serfs. Les ripailles des grands renient la misère des humbles. Par la fête, le chevalier se situe hors du commun. Il domine tous ceux, méprisables, qui vivent courbés dans le travail, qui ne songent qu'à amasser. Lui, dilapide. Par la fête, il échappe à la malédiction de l'homme, condamné depuis la chute à gagner son pain à la sueur de son front. Il manifeste sa distinction, sa liberté. Il triomphe de la nature, il la pille et s'en évade. Et le cortège des funérailles, le festin et la distribution de cadeaux qui les suivent, représentent bien la dernière fête où paraît le défunt.

L'esthétique profane du xive siècle trouve donc son expression suprême dans la parure et dans la parade. Composées pour glorifier la prouesse —

« vertu si noble et si recommandable qu'on ne doit pas passer outre trop brièvement car elle est la matière même et la lumière des gentilshommes, et, comme la bûche ne peut brûler sans feu, le gentilhomme ne peut arriver à l'honneur parfait et à la gloire du monde sans la prouesse » — les *Chroniques* de Jean Froissart s'ouvrent donc par la description des fêtes brutales que furent les premières grandes batailles de la guerre de Cent Ans. Elles s'achèvent sur les fêtes plus compliquées et plus perverses, organisées pour le roi Charles VI de France, qui était fou. Dans le Paris de 1400, foyer étincelant du plaisir chevaleresque, il semble que la fête soit parvenue, pour mieux favoriser l'évasion hors du réel, pour parachever le triomphe sur les contraintes quotidiennes, à une sorte d'inversion de la nature. Elle franchit la limite entre le jour et la nuit, elle refoule les ténèbres, elle déroule ses danses jusqu'à la pointe de l'aube dans l'artifice des torches et le jeu fascinant des reflets et des ombres. Elle culmine dans le travestissement et dans la mascarade. Seigneurs et dames se délivrent d'eux-mêmes. Par le mime sacré, ils s'identifiaient au Bon Larron ou à Jésus souffrant. Ils deviennent dans les bals le roi Arthur ou l'homme sauvage pourfendeur de licorne. Et tout au long de la fête, ils jouent l'amour.

Car l'esprit ludique de la chevalerie s'épanouit dans les gratuités de l'amour courtois. Depuis deux siècles, tous les poèmes, tous les romans composés à son usage invitaient le chevalier à aimer. Les clercs domestiques des cours princières avaient utilisé les ressources de l'analyse scolastique pour codifier en règles précises les rites complexes qui, dans la société des nobles, devaient gouverner le comportement respectif du gentilhomme et de la femme bien née. Les livres que le soir tout seigneur se faisait lire, entouré de sa maisonnée, l'imagerie qui les illustrait, celle qui ornait dans l'ivoire les coffrets et les miroirs, diffusaient largement les prescriptions de ce rituel. Tout homme, s'il voulait être reçu dans les assemblées chevaleresques, se devait de s'y conformer. Il était tenu de choisir une dame et de la servir. En l'éclat de sa jeunesse, le roi Edouard III d'Angleterre aspirait de toutes ses forces à devenir dans son temps le modèle de la chevalerie. Il était marié, et la reine lui donnait de beaux enfants; elle possédait toutes les vertus de la parfaite épouse, et c'était un très bon mariage. Edouard vint pourtant un jour au château de la dame de Salisbury, dont le mari, son vassal, capturé à son service, se trouvait alors en prison pour lui. Il sollicita d'amour la dame et mima pendant une soirée, devant les gens de son escorte, le jeu du cœur captivé, de l'amour triomphant mais impossible. En effet, « Honneur et Loyauté lui défendaient de mettre son cœur en telle fausseté, pour déshonorer si noble dame et si loyal chevalier comme était son mari. D'autre part, Amour le contraignait si fort qu'il vainquait et surmontait Honneur et Loyauté ». Et ce fut peut-être pour la dame élue qu'il fonda l'ordre des Chevaliers de la Jarretière, qu'il en ordonna les fêtes et qu'il en choisit la devise.

Fête et jeu, l'amour courtois réalise l'évasion hors de l'ordre établi et l'inversion des relations naturelles. Adultère par principe, il prend d'abord revanche sur les contraintes matrimoniales. Dans la société féodale, le mariage visait à étendre la gloire et la fortune d'une maison. L'affaire était traitée froidement, sans nul souci des élans du cœur, par les anciens des deux lignages. Ceux-ci fixaient les conditions de l'échange, de l'acquisition de l'épouse, qui devait devenir, pour le futur seigneur, la gardienne de sa demeure, la maîtresse de ses domestiques et la mère de ses enfants. Il la fallait surtout riche et de bon parage, et fidèle. Les lois sociales menaçaient des pires sanctions l'épouse adultère, et celui qui tenterait de la dérober. Mais elles accordaient toute liberté sexuelle au mari, qui trouvait à sa portée des concubines et des ribaudes. Fort complaisantes, des demoiselles non mariées attendent dans chaque château les chevaliers errants des récits de courtoisie. L'amour courtois ne fut donc point simple divagation sexuelle. Il est élection. Il réalise le choix qu'interdisait la procédure des épousailles. Cependant, l'amant ne choisit pas une pucelle, mais la femme d'un autre. Il ne la prend pas de force, il la gagne. Il vainc peu à peu ses résistances. Il attend qu'elle se rende, qu'elle lui livre ses faveurs. Il déploie pour cette conquête une stratégie minutieuse, qui apparaît en fait comme une transposition ritualisée des techniques de la vénerie, de

la joute, de l'assaut des forteresses. Les mythes de la poursuite amoureuse se développent volontiers en chevauchées dans la forêt. La dame élue est une tour qu'on assiège.

Mais cette stratégie place le chevalier en position de servitude. L'amour courtois inverse, ici encore, les rapports normaux. Dans le réel de la vie, le seigneur domine entièrement son épouse. Dans le jeu amoureux, il sert sa dame, il s'incline devant ses caprices, il se soumet aux épreuves qu'elle décide d'imposer. Il vit agenouillé devant elle, et dans cette posture de dévouement se trouvent cette fois traduites les attitudes qui, dans la société des guerriers, réglaient la subordination du vassal à son seigneur. Tout le vocabulaire et tous les gestes de la courtoisie sortent des formules et des rites de la vassalité. Et d'abord la notion même de service, et son contenu. Comme le vassal envers son seigneur, l'amant envers sa dame se doit d'abord d'être loyal. Il a engagé sa foi, il ne saurait la trahir, et ce lien n'est pas de ceux qu'on dénoue. Il se montre vaillant, combat pour elle, et ce sont les victoires successives de ses armes qui le font avancer dans ses voies. Enfin, il doit l'entourer d'attention; il lui fait la cour, c'est-à-dire qu'il la sert encore. Tout comme les vassaux réunis en cour féodale autour de leur seigneur. Mais comme les vassaux, l'amant entend bien pour ce service obtenir un jour récompense et gagner des dons successifs.

A ce plan, le jeu d'amour sublime l'élan sexuel et le transpose. Non point qu'il se veuille tout entier désincarné. Les efforts de l'Eglise pour dompter la courtoisie étaient parvenus au XIIIᵉ siècle à susciter quelques poèmes qui déviaient la démarche amoureuse de son but charnel et qui la transféraient vers le mysticisme. Cette transmutation religieuse et abstraite culmina vers 1300 dans le *dolce stil nuovo*. Mais dans le commun des rites de cour, l'amour vit de l'espoir d'un triomphe final qui conduira la dame à se livrer tout entière, d'une victoire secrète et périlleuse sur l'interdit majeur et sur les châtiments promis aux étreintes adultères. Toutefois, tant que dure l'attente, et il convient qu'elle se prolonge très longtemps, le désir doit se satisfaire de peu. A l'amant qui veut conquérir l'élue, il importe de se maîtriser. De toutes les épreuves que l'amour lui impose, celle qui porte le symbole le plus clair des nécessités du délai consenti, est « l'essai » que célèbrent les chansons des troubadours:

la dame commande au chevalier de se coucher auprès d'elle dans leur commune nudité, et pourtant de dominer son désir. L'amour se renforce dans cette discipline, et dans les joies imparfaites des attouchements mesurés. Ses plaisirs deviennent alors de sentiment. L'étincelle amoureuse ne réunit pas des corps, mais des cœurs. Et lorsqu'Edouard a contemplé Jeanne de Salisbury, il se met à « penser ». Les clercs au service des princes féodaux avaient cherché dans Ovide les ornements d'une psychologie de l'amour terrestre; en outre, au moment même où les règles de la courtoisie s'imposaient peu à peu à la chevalerie d'Occident, le culte de Marie envahissait la chrétienté latine. Dans le progrès de leur conquête, la spiritualisation de l'instinct sexuel et le transfert dans la piété des valeurs féminines s'enrichirent d'un mutuel échange. La Vierge apparut bientôt comme la Dame par excellence, Notre Dame, que chacun doit servir d'amour. On en voulut des images élégantes, gracieuses, séduisantes. Pour mieux atteindre le cœur des pécheurs, les Vierges du XIVe siècle se montrent coiffées, peignées, parées comme des princesses courtoises. Et la rêverie divagante de certains mystiques put parfois s'aventurer dangereusement dans la contemplation de ces charmes corporels. Inversement, la dame élue attendit de son amant des marques de dévotion, des laudes qui empruntassent leurs métaphores aux chants de l'amour mystique. Les reflets d'une piété qui devenait affaire de cœur auréolèrent les joies mondaines.

Cependant l'amour courtois demeura toujours un jeu. Un divertissement secret. Il vit de clins d'yeux complices. Discret, il se dissimule sous des apparences trompeuses. Il se masque sous l'ésotérisme du *trobar clus*, des gestes symboliques, des devises à double sens, d'un langage que seuls les initiés savent déchiffrer. Par essence, et dans les formes qu'il exprime, il est tout entier fuite hors du réel, comme la fête. C'est un intermède passionnant, mais de totale gratuité, qui n'engage pas le fond de la personne. Et s'il leur arrivait de se prendre au jeu jusqu'à s'en rendre dupes, les mondains trouveraient des arguments propres à les démystifier dans toute une littérature, antagoniste et compensatrice des chansons d'amour courtois. Ces œuvres de satire et de parodie qui, elles, ramènent à la Raison et à la Nature, connurent en effet le même succès que la lyrique amoureuse. Par elles, par le prolongement que Jean de Meung donna au premier *Roman de la Rose*, conduisant ses allégories jusqu'à la glorification lucide de l'amour physique, par le récit de la femme de Bath dans les *Contes de Canterbury*, par les anecdotes gaillardes du *Décaméron*, les chevaliers prenaient leurs distances à l'égard des personnages qu'ils jouaient. Ils revenaient à la vérité — mais pour repartir bientôt vers leurs rêves. Ils oscillaient entre deux mondes. Cependant, le monde réel ne demandait pas de parure. Ce fut celui de la fête, de l'illusoire et du rêve amoureux que les artistes reçurent mission de figurer.

L'amour courtois naît d'une vision et s'en nourrit. Lorsqu'Edouard III entra dans la chambre de la dame de Salisbury, « chacun la regardait en s'émerveillant et le roi lui-même ne put se tenir de la regarder. Tantôt le frappa au cœur une étincelle de fine amour que Madame Vénus lui envoya par Cupidon, le dieu d'Amour, et qui lui dura longtemps. Quand il l'eut longtemps regardée, il alla à une fenêtre pour s'appuyer et commença fortement à penser ». Pour capter le regard et pour le retenir, il importait donc d'apprêter son corps et d'apprêter son visage. L'art chevaleresque du XIVe siècle proposait d'abord une poétique du vêtement. On se rend à la fête costumé. Et n'y est point reçu celui qui n'a pas revêtu les ornements qui établissent le plaisir hors du quotidien et qui témoignent par leur richesse et par leur inutilité d'une volonté concertée de gaspillage. Dans les enluminures des *Très Riches Heures*, la profusion décorative des chapes et des manteaux rivalise de fantaisie avec la couronne ornementale qui établit au sommet des châteaux le brasillement des feux de joie. Et puisque la fête représente le jeu de courtoisie et se dispose comme un dialogue réglé entre les deux sexes, il convenait encore que l'homme et la femme ne fussent point semblablement parés. Dans les sociétés princières du XIVe siècle, le costume féminin conquit sa singularité. Il l'affirma en soulignant les attraits du sexe, il devint instrument d'ostension érotique. Pourtant, il ne s'ajustait pas strictement aux formes du corps. Il agissait comme un leurre, disposé pour en renforcer les puissances de séduction. Comme l'art du vitrail dont, à Paris, ses formes et ses couleurs s'inspiraient, l'art vestimentaire devait opérer une transmutation dans l'irréel. Il fallait que, dans le jeu de la fête, l'individu surmontât sa nature, la dépassât, s'élevât au-dessus d'elle par des artifices, par ces bourrelets, ces truffauts, ces cornes, ces queues, que, remuées par les prédications de pénitence, les élégantes s'empressaient parfois d'aller brûler au bûcher d'une autre fête, mystique celle-ci, en un autodafé de renoncement. Comme les enlumineurs qui plaçaient, dans les marges des psautiers, quelques bribes de la nature vraie au sein de la gratuité imaginaire des arabesques, les artistes qui dessinèrent les habits de cour pour les fêtes de courtoisie enserraient les fragments entr'aperçus de la réalité corporelle dans les armatures factices d'une architecture de songe. Ils travaillaient pour l'illusion lyrique.

Toutefois les rituels amoureux faisaient place à d'autres visions. Les convenances de la courtoisie imposaient en effet à la dame, comme l'un des gages qu'elle livrait à son servant d'amour, de lui laisser contempler de loin, et brièvement, en étincelle, sa nudité. L'image vraie du corps de l'élue devait hanter la conscience de l'amant. D'autre part, l'ordonnance des réjouissances courtoises ou publiques ménageait au XIVe siècle parmi les tableaux vivants une place assez large au corps féminin dépouillé de ses atours. Or, de tenaces réticences empêchèrent, semble-t-il, longtemps de figurer le nu féminin dans les représentations de l'art courtois. L'art liturgique avait pourtant célébré les splendeurs du corps humain. Mais il situait celui-ci dans sa *nature*, au sens que donnaient à ce mot les penseurs sacrés, c'est-à-dire dans les formes parfaites, exemptes des souillures du péché, où l'avait introduit la raison divine. La sculpture des cathédrales plaçait ces images de perfection au sein de deux scènes principales, la Création de l'homme et de la femme, et la Résurrection des morts. Ici et là, la chair se manifestait dans sa gloire, avant la faute originelle, ou bien dans la libération resplendissante du Dernier Jour. Sans doute, depuis la fin du XIIIe siècle, les tailleurs d'images ne traitaient-ils plus ces corps sans tendresse, et sans le souvenir des charmes vécus. Peu à peu l'idée rejoignait les apparences sensibles. Eve, les ressuscitées, revêtaient des grâces adolescentes. Pourtant *gula, voluptas*, la chair vivante et disposée pour les plaisirs de l'amour physique, demeurèrent tapies dans l'ombre des délectations condamnées. Ou leurs formes disparaissaient dans les flammes de l'Enfer: dans la chapelle des Arènes, Giotto glissa parmi les démons le premier nu sensuel de la peinture européenne. Peut-être avons-nous perdu d'autres images, moins accablées de culpabilité et de remords. Il semble bien cependant que les interdits sexuels aient exercé pendant tout le

XIVe siècle trop de puissance pour que la culture laïque parvînt à s'en délivrer. Les atours de la fête courtoise continuèrent donc de masquer, pour les princes et pour les chevaliers, la lubricité féminine. Et lorsque des sculpteurs ou des peintres se prenaient à représenter la chair de la femme dans sa nudité, ils ne pouvaient s'empêcher de la figurer coupable. Une sorte d'inquiétude les tenait, leur imposait l'écriture trop nerveuse et aiguë des Danses macabres, les induisait à marquer les corps d'un accent de perversité. Dans l'univers gothique, de toutes les formes de la nature réconciliée, celles du corps de la femme furent les dernières à se libérer du péché et à éclore à la joie terrestre.

L'Italie encore fut la terre de cette éclosion. Les vestiges de la plastique antique montraient ici des corps que ne masquaient pas les artifices d'une parure, et qui se déployaient dans une nudité sans remords. Dans ce pays où les universités, dégagées du contrôle de l'Eglise, osaient explorer par la dissection le corps des morts, au risque de les gêner plus tard dans leur résurrection, il vint un temps où les sculpteurs se mirent à regarder les bas-reliefs romains, les débris de statues dévêtues et à voir en eux des modèles. Ils s'inspirèrent de leur nature libre et vraie pour traiter la Création et le Jugement dernier. Dans la peinture parisienne, le seul corps qui surgisse, à l'extrême fin du siècle, dans la pureté sereine d'un torse antique, délivré des sophistications de l'érotisme, est celui d'un ressuscité, d'un homme, Lazare. Les peintres de l'Italie lombarde, terre de chevalerie et de courtoisie, purent bien pousser plus tard l'audace jusqu'à présenter, environné de cette même gloire dont on avait jusque-là entouré l'image de Dieu ou celle de la Vierge, le corps dévêtu de Vénus triomphante; ils purent bien montrer les gentilshommes agenouillés qui l'adorent, recevant les étincelles de l'amour charnel comme saint François avait reçu les stigmates — on sent qu'un relent de mauvaise conscience fait trembler leurs mains. Ce fut en Toscane, à l'aube du Quattrocento, et dans la majesté grave de l'intonation romaine, pour une aristocratie patricienne qu'un christianisme stoïque délivrait des angoisses en même temps que des frissons pervers de la fête érotique, que la chair féminine, pour la première fois, revêtit dans le bronze et le marbre les apparences de la plénitude. Ici, la femme ne ressuscite plus, elle naît. Elle apporte à l'homme nouveau la joie paisible de son corps.

Parmi tant de figures de Vierges et de saintes, l'art du XIVe siècle — du moins ce qui s'en est conservé jusqu'à nous — montre fort peu d'images de la femme charnelle. La fête courtoise faisait pourtant large place aux jeux de l'amour, et ceux-ci n'étaient pas toujours furtifs. Eve cependant demeurait condamnée. C'est fort discrètement qu'un reflet de la sensualité mondaine parvient à s'insinuer dans certaines représentations de l'art d'Eglise. Celles du péché ou bien du martyre.

Les descriptions les plus précises de la chair coupable s'établirent d'abord à la périphérie des grands ensembles décoratifs, dans les zones marginales de l'iconographie où l'artiste s'était toujours trouvé moins surveillé, plus dégagé des contraintes. Il était de tradition de placer là les représentations symboliques des vices et des désirs pervers. Le XIVe siècle, en pleine fidélité à l'enseignement de l'Eglise, choisit de les figurer par le corps dévêtu de la femme. Dans ces images, l'esprit des ivoiriers parisiens, qui décoraient de scènes amoureuses le dos des miroirs et les coffrets de toilette, put se prolonger audacieusement. Pour situer en posture de tentation sournoise une jouvencelle nue accroupie sur un bouc, un imagier d'Auxerre joue magnifiquement, vers 1340, de toutes les subtilités du dessin gothique et le développe en courbes lascives.

Beaucoup de saints avaient été torturés. Les peintres, en illustrant leur vie, décrivaient volontiers par le menu leurs souffrances : les mécènes en effet se plaisaient souvent au spectacle de la cruauté. Le sang, les meurtrissures abondent dans l'art de ce temps. Vers 1425, Maître Francke travaillait à Hambourg et à Lübeck pour les confréries pieuses. Les patriciens, ses clients, s'enrichissaient par le commerce maritime sur la Baltique et la mer du Nord. C'étaient des hommes fort rudes. Ils percevaient cependant les valeurs d'élégance que faisaient rayonner les cours parisiennes. Voici pourquoi l'artiste pare les bourreaux comme des rois mages ; mais il dénude aussi la princesse. Par ce jeune corps promis au fouet et au couteau, les raffinements du plaisir courtois s'introduisent dans l'image de piété.

Ghiberti concevait alors à Florence le décor de la porte du baptistère. Il y montre la création de la femme. Le même essaim de petits anges qui jusqu'alors n'avait emporté vers le ciel qu'un seul corps charnel, celui de la Vierge de l'Assomption, soutient ici le corps d'Eve jaillissante. Elle est enfin sauvée, justifiée. Elle s'affirme, forte et calme. Aucun bourreau ne la menace, aucun frisson ne la trouble. Elle appartient à la pureté et à la gloire. Sa beauté monte vers la lumière de Dieu, victorieuse de tous les remords.

MAITRE FRANCKE (ACTIF, PREMIÈRE MOITIÉ DU XVe SIÈCLE) - LE MARTYRE DE SAINTE BARBE, DÉTAIL DU VOLET GAUCHE - 1420-1425.
HELSINKI, MUSÉE NATIONAL DE FINLANDE.

LA LUXURE - SCULPTURE DU MILIEU DU XIVᵉ SIÈCLE.
CATHÉDRALE D'AUXERRE, CROISILLON SUD.

LORENZO GHIBERTI (1378-1455) - LA CRÉATION D'ÈVE, FRAGMENT D'UN PANNEAU DE LA PORTE DU PARADIS - 1425-1447.
BAPTISTÈRE DE FLORENCE.

5

GLORIFICATION DE LA CHAIR

Dès le début du XIIᵉ siècle, les chansons d'amour des poètes de langue d'oc avaient célébré la nudité féminine. D'abord sur un ton fort gaillard. Mais bientôt, l'érotique courtoise, voulut sublimer le désir, approfondir les jouissances de l'attente amoureuse en la prolongeant, en la nourrissant de rêves et de délectations visuelles; elle revêtit ainsi d'une puissance quasi magique le corps de la dame élue. Œuvre parfaite de Dieu, résumant en elle toutes les splendeurs de la nature créée, son image, rêvée ou entrevue, engendre l'amour et en attise les feux. C'était l'une des récompenses du service de courtoisie que de le contempler nu, secrètement, dans l'intimité de la chambre close, au lever ou au coucher de l'aimée, et cette ostension consentie, ce rite de dévotion, cérémonie majeure que l'on célébrait couramment dans le monde des cours, avait rendu peu à peu plus sensibles aux grâces corporelles les chevaliers les moins frustes, à mesure qu'ils se dégageaient des rudesses militaires. Cependant de puissantes contraintes morales retinrent longtemps de reproduire les apparences du corps désiré. Aux beaux temps de la lyrique des troubadours, si jamais certains tentèrent de transposer dans l'œuvre peinte ou sculptée ces allusions poétiques et les visions qui hantaient les consciences, ce fut de manière si timide, si furtive, et dans des formes jugées si peu dignes de durer, qu'aucune trace de celles-ci n'en subsiste.

Dans les images de *voluptas* se découvrait la beauté du diable, que l'artiste ne représentait pas sans trouble. Mais il lui était permis, dans celles de *natura*, c'est-à-dire lorsqu'il devait montrer des corps exempts de péché, tels que les avaient voulus Dieu en créant l'homme et la femme, de proposer aux regards des foules, de manière moins clandestine, la perfection des formes humaines. Fort tôt, dès le second tiers du XIIIᵉ siècle, quelques sculpteurs tentèrent, timidement d'abord, de traduire dans certaines figurations monumentales de l'art sacré l'émotion que suscitaient en eux les grâces du corps féminin. Quelques thèmes religieux pouvaient en effet servir de prétexte à célébrer la chair dans sa sérénité. Et d'abord le motif central de l'iconographie romane et gothique, le Jugement dernier. La scène où l'on voit les corps défunts appelés à la résurrection de plénitude s'offrit naturellement aux recherches nouvelles dès que les clercs, qui ordonnaient les grands programmes décoratifs, se laissèrent eux-mêmes gagner par les joies du monde et cessèrent d'en repousser aussi strictement les séductions. Déjà, sur le tympan de Bourges, qui fut sculpté en 1275, les ressuscitées sont enlevées par un élan printanier, qui les délivre; on les voit éclore, comme de jeunes fleurs, entre les lames de leurs tombeaux. Déjà, les tailleurs d'images osent ici faire place, parmi les lumières spirituelles, aux élégances de la stature et aux souplesses de la forme. Première et décisive révélation. La joie qui transparaît dans ces nudités douces, polies et triomphantes, est pure. Elle pare les corps de gloire, libérés du mal et des ardeurs de l'amour profane.

Mais ce fut en vérité la redécouverte des vestiges oubliés de la plastique gréco-romaine qui vint dissiper ce que les interdits religieux et sociaux engendraient encore d'inquiétude, le recul devant la chair, l'obsession du péché et les frémissements de la mauvaise conscience. Dans les dernières années du XIIIᵉ siècle, des motifs d'intaille antique, qui représentaient Hercule et Eros endormi sous un arbre, avaient été transposés au soubassement du portail de la cathédrale d'Auxerre. Il s'y exprime un sentiment de la beauté physique entièrement dégagé des méfiances chrétiennes. La vision nouvelle se précisa peu à peu en Italie centrale. Dans ce pays, les tailleurs d'image et les peintres subirent pendant tout le Trecento l'influence des modes françaises. Mais ils vivaient en familiarité beaucoup plus intime avec les témoins de l'art antique. L'attention toujours plus vive à tout ce qui subsistait de Rome les porta peu à peu à étudier de plus près les statues et les bas-reliefs et les incita à en retrouver progressivement l'esprit. Déjà, sous les draperies, les madones d'Arnolfo di Cambio empruntaient aux matrones leurs formes majestueuses. A la fin du XIVᵉ siècle, certains dessins attestent une curiosité et des recherches plus précises. L'un d'eux, conservé au Louvre et attribué à Gentile da Fabriano, extrait du décor d'un sarcophage une figure de Vénus parfaitement classique. Se dessine alors un nouveau canon du corps féminin. Beaucoup plus souple et gracieux que celui des marbres romains, il s'éloigne cependant sensiblement des formes qu'avait suscitées l'esthétique des troubadours et qui s'étaient affinées dans les cours parisiennes. Moins flexible, plus charnel, il échappe aux troubles de l'âme. On le voit s'affirmer au seuil des cathédrales dans les représentations de la création d'Eve. Le sculpteur qui, dans le premier tiers du XIVᵉ siècle, décorait le dôme d'Orvieto sous la direction de Lorenzo Maitani, avait peut-être fréquenté les grands chantiers de France. Il situe son Eve naissante dans la joie des jardins français, mais il lui donne aussi la plénitude et la force des reliefs antiques.

Aux environs de 1400, les artistes domestiques du duc Jean de Berry surent allier la distinction linéaire de l'esthétique parisienne aux grâces d'inspiration classique qui provenaient d'Italie. C'est ainsi que, dans le *Jardin de Paradis* des *Très Riches Heures*, les Limbourg exaltent, par la souplesse de l'éphèbe Adam et par le corps d'une Eve blonde, la joie d'être libre dans la vie, et d'en jouir. Le duc conservait aussi dans ses collections une médaille à la gloire de l'empereur Constantin, dont on ignore l'auteur. Son revers montre, au pied d'une Fontaine de vie que surmonte la Croix, le corps délicat d'une jeune femme. Ce corps est dépouillé de l'enveloppe magnifique et trompeuse des parures de cour. Mais ses membres flexueux et graciles, ses seins menus, son ventre fécond, lui confèrent l'élégance maniérée des cours gothiques, où les rituels de courtoisie avaient imposé au corps féminin les sinuosités fluides de l'arabesque. Alors que, pour Jacopo della Quercia, l'Eve de la Tentation est puissance, et non point grâce. Ce qu'il glorifie dans son corps, c'est la robustesse rustique des déesses mères, et toutes les forces vitales que l'on sent jaillir de la terre.

GLORIFICATION DE LA CHAIR

1. La Luxure – vers 1290. Porche de la cathédrale de Fribourg-en-Brisgau.

2. Atelier de Lorenzo Maitani (vers 1275-1330): La création d'Eve – 1310-1330. Détail de la façade de la cathédrale d'Orvieto.

3. Jacopo della Quercia (vers 1374-1438): Le péché originel – 1425-1438. Bologne, basilique de San Petronio, piédroit de la porte centrale.

4. Maître de la Vie de la Vierge d'Utrecht (?): Réunion mondaine (dessin) – vers 1415. Upsala, Bibliothèque de l'université.

5. Pisanello (1395-vers 1455): Etude de nus avec une Annonciation (dessin). Rotterdam, Musée Boymans-van Beuningen.

6. Les Frères de Limbourg: Le Jardin de Paradis, miniature des Très Riches Heures du duc de Berry – vers 1415. Chantilly, Musée Condé, Ms. 1284.

7. Médaille de bronze du duc Jean de Berry: Le paganisme et la chrétienté (revers de la médaille de Constantin le Grand) – début du XVe siècle (?). Vienne, Kunsthistorisches Museum, Cabinet des médailles.

1

2

3

4

6

7

PUISSANCE

Posséder le monde était d'abord lui imposer sa loi. La culture du XIVᵉ siècle aboutit au prince, à l'homme qui gouverne et par qui règnent paix et justice. Dans sa part profane, l'art d'Europe, dont les créations majeures exécutaient des commandes princières, glorifie d'abord la puissance. Il le fait dans les formes de la tradition féodale. Depuis des siècles en Occident, les représentations du pouvoir ne se séparaient pas de l'image de l'homme d'armes, c'est-à-dire du cavalier. Le seigneur, celui qui tient en mains le pouvoir de commander et de punir, est d'abord un chef de guerre. Pour cela, il vit à cheval. Dans ce monde où tout noble se croit un saint Georges, les figures équestres remplissent donc l'art des cours, et dans l'Italie même, où Rome pourtant avait implanté d'autres symboles de majesté, dans les batailles d'Uccello comme dans les fresques du Palais Schifanoia, très longtemps encore, des croupes piaffantes exalteront les vertus cavalières. Mais aussi, depuis l'orée des temps féodaux, l'orgueil d'une seigneurie, puisqu'elle se fondait sur la guerre, se révélait aux yeux de tous par une tour. La tour, le réduit fortifié, constituait en effet le point d'appui de toute action militaire, le lieu de rassemblement des hommes de guerre, le dernier refuge de la défense. Auprès de la forteresse se tenaient aussi les cours solennelles de la justice. La tour ne servait qu'accessoirement de demeure. Virile, dressée comme un étendard, elle était avant tout signification d'un pouvoir.

Elle le demeure au XIVᵉ siècle. Tout homme qui accède à la puissance fait ériger une tour en même temps qu'il commande son tombeau. L'art des princes, pour cela, est un art castral. Lorsqu'il eut brisé la révolte d'Etienne Marcel et montré aux bourgeois de Paris que leur tentative de contrôler l'autorité des rois de France était vaine, Charles V construisit la Bastille — comme trois cents ans plus tôt, Guillaume le Conquérant avait construit la Tour de Londres. A Ferrare, un marquis édifia la tour dite des Rebelles avec les pierres enlevées aux palais détruits des lignages adverses qu'il venait de vaincre. Et dans le calendrier des *Très Riches Heures*, chacun des paysages se dispose comme un écrin autour de l'un des châteaux du duc Jean de Berry. Certes ces murailles étaient éminemment fonctionnelles. Au XIVᵉ siècle, la guerre règne partout, et ses épisodes les plus efficaces ne résident pas dans des rencontres en rase campagne, mais dans la capture des forteresses, par le siège ou par la trahison. La muraille possède plus que jamais une valeur stratégique. Toutefois, si le souverain trône à l'intérieur d'un château, s'il remplit là ses fonctions essentielles, fonctions anciennes de liturgie, fonctions nouvelles de mécénat intellectuel, ce n'est pas simplement par mesure de sécurité. La place de la chapelle du prince, celle de sa bibliothèque se trouvent naturellement au sein du rempart dont la puissance démontre l'autorité du seigneur. Aussi Charles V plaça-t-il sa « librairie » dans une tour du Louvre. Tout un réseau d'enceintes crénelées environnait, à Karlstein, la chapelle impériale. En Avignon, la papauté, qui venait de passer aux mains des prélats français, fit entreprendre la construction d'un palais qui est une forteresse. Les deux espaces principaux, celui de la chapelle pontificale et celui de la salle où le saint Père vient siéger dans sa puissance temporelle, y sont enfermés dans une « chemise » serrée de remparts. Il fallait, bien sûr, protéger l'or des collectes pontificales contre la menace permanente des compagnies militaires errantes. Mais pour le pape et les cardinaux, le siège du pouvoir de commandement général qu'ils pensaient détenir sur la chrétienté tout entière devait avoir les apparences d'un château fort. Toutefois, le pape Clément VI rompit l'austérité des murailles par quelques pinacles; il fit dans l'une des tours aménager pour lui de petites chambres parées.

Les princes du XIVᵉ siècle voulurent en effet que certaines valeurs de joie pussent s'introduire dans la citadelle, démonstrative de leur puissance. Ils y parvinrent d'une double manière. Si leur demeure devait conserver l'allure d'une forteresse, qu'elle fût du moins confortable. Le rôle croissant que jouaient les femmes nobles dans l'existence seigneuriale et dans les représentations de la vie mondaine avait depuis le XIIᵉ siècle éloigné peu à peu les chevaliers de l'agreste rudesse des combats et des chasses. Ils avaient appris à sortir de leur cuirasse. Ils apprirent au XIVᵉ siècle à prolonger à l'abri, même la nuit et même l'hiver, à la lueur des torches et au coin du feu, le plaisir de vivre. Fleur de chevalerie et, par conséquent, modèle de courtoisie, le prince se dut d'abord d'apprêter dans ses logis des lieux propices aux devis intimes et aux fêtes amoureuses. Tous les châteaux neufs ou rénovés offrirent donc, auprès de la vieille halle où se réunissaient les guerriers et où le maître rendait sa justice, quelques chambres de dimensions restreintes, meublées de cheminées, et que les tapisseries tendues revêtaient d'ornements et de tiédeur. Ce fut au XIVᵉ siècle que le château des princes commença de se muer en hôtel. Saint-Paul, dont Charles V fit à Paris sa résidence préférée, dispersait dans les jardins de petits édifices plaisants disposés pour les divers agréments de la vie.

La seconde adjonction fut décorative. La guerre elle-même exigeait, en effet, une parure. Elle était fête. Sans doute même, la fête la plus excitante, où le chevalier se rendait vêtu de ses atours les plus riches. Les lambeaux de soie déchirée, les tuniques multicolores, les ceintures d'or et les débris de bijouterie jonchent les champs de bataille du XIVᵉ siècle. Et la première tâche des artistes de cour était de décorer les harnois. Lorsque les barons de France se réunirent en Flandre en 1386 dans le dessein d'envahir l'Angleterre, ils voulurent « embellir et orner leurs navires et leurs vaisseaux et les armorier de leurs parures et enseignes ». Le duc de Bourgogne avait confié l'ornementation de sa nef à son bel artiste Melchior Broederlam. Froissart ajoute que les « peintres y eurent trop bien leur temps; ils gagnèrent ce qu'ils voulaient demander, encore n'en pouvait-on trouver. On faisait bannières, étendards de soie écarlate si belle que merveille serait à penser, on peignait les mâts des nefs du fond jusqu'au comble, et on en couvrit plusieurs, pour mieux montrer richesse et puissance, de feuilles d'or fin. Dessous, on y faisait les armoiries des seigneurs auxquels étaient les navires ». Puisque la cérémonie guerrière devait briller ainsi par la profusion des fanfreluches et des ornements d'ostentation, il parut également nécessaire que la

tour seigneuriale reçût une parure. Comme les heaumes, elle se coiffa d'un décor hérissé et du flamboiement d'un panache. L'orfèvrerie des châsses s'y trouvait transposée dans la pierre en cette même écriture sinueuse où s'exprimaient tous les rêves d'évasion de la courtoisie. L'arabesque gothique montra dans les combles du château de Mehun-sur-Yèvre, que fit orner Jean de Berry, l'une de ses expressions les plus folles. Symbole de la puissance féodale, le château du prince porte en ses plus hauts étages, dans le claquement des flammes et des bannières, l'ornementation proliférante des jubés et des marges de livres d'heures. Il se perd dans la gratuité du rêve et des largesses chevaleresques.

*

Une autre conception du pouvoir s'établissait cependant dans la conscience européenne, plus civile, plus austère, et celle-ci procédait de la loi romaine. Des hommes beaucoup plus nombreux commençaient en effet à réfléchir sur la politique. Cette attention nouvelle portée aux mécanismes du pouvoir procédait de la croissance même des Etats et du perfectionnement de leurs organes. Les principautés devaient employer des fonctionnaires plus instruits, qui avaient acquis dans les universités les habitudes de raisonnement. Elles réunissaient aussi maintenant des assemblées d'Etats, où les représentants des ordres supérieurs de la nation étaient appelés à donner leur avis sur les grandes affaires et à discuter de la chose publique. Au XIVᵉ siècle se dessinent en Europe les premiers linéaments d'un esprit civique, en même temps que deviennent moins rares les hommes capables d'une notion abstraite du pouvoir. Car dans le même temps, les professionnels de l'intelligence tournaient également leur curiosité vers les problèmes de gouvernement; la science politique en effet relevait de ce domaine profane de la connaissance que la doctrine de Guillaume d'Ockham avait ouvert en toute liberté à l'expérience et à la déduction rationnelle. Cette réflexion des savants s'était d'abord développée à propos des discordes centrales de la vie politique médiévale. A propos du vieux conflit entre l'empereur et le pape, entre les deux puissances qui, depuis Charlemagne, dépendaient l'une de l'autre et qui prétendaient l'une et l'autre à la domination universelle. La lutte en fait s'était close au milieu du XIIIᵉ siècle par une victoire totale du Saint-Siège. Mais le triomphe de Rome entretenait les controverses sur les fondements du pouvoir civil. Tandis que les juristes au service du pouvoir pontifical utilisaient toutes les ressources de la scolastique pour parachever à l'usage de la papauté une doctrine de la théocratie, les légistes du roi de France Philippe le Bel cherchaient dans le droit romain des arguments contre les prétentions exacerbées du pape Boniface VIII. Leur doctrine rejoignait celle des Gibelins d'Italie qui, comme le *De Monarchia* de Dante, exaltait l'idée d'empire. La querelle vint ainsi rebondir au seuil du XIVe siècle. Le transfert de la papauté en Avignon avait rendu plus visibles ses complaisances à l'égard du temporel. Un roi d'Allemagne descendait en Italie pour s'emparer du diadème. Toute une part de l'Ordre franciscain s'opposait au pape sur une définition de la pauvreté. Ce fut alors que parurent deux ouvrages qui demeurèrent pendant tout le XIVe siècle les guides de la pensée politique.

Lorsque, poursuivi pour hétérodoxie par la Curie d'Avignon, et réfugié auprès de l'empereur, le franciscain Guillaume d'Ockham écrivit le *Dialogus*, il appliquait encore le principe central de sa méthode en isolant le sacré du profane. Il séparait strictement l'Eglise de l'Etat, et réservait à ce dernier le monopole de l'action politique. Le pape, affirmait-il, « ne peut priver les hommes des libertés qui leur ont été concédées par Dieu ou par la nature ». Ainsi, la Nature auprès de Dieu se trouvait réputée source du droit, ce qui signifiait une laïcisation radicale de l'esprit et de la science juridiques. Mais, publié un peu plus tôt par deux maîtres de l'Université de Paris, Marsile de Padoue et Jean de Jandun, un autre livre, le *Defensor pacis*, manifestait des agressivités beaucoup plus violentes et révolutionnaires, et menait délibérément l'attaque contre les pouvoirs de l'Eglise. Les droits temporels qu'elle tient, elle les a dérobés au prince; il est faux de penser qu'il peut exister un pouvoir spirituel indépendant, il n'est pas de spirituel en dehors des laïcs, toute autorité particulière de l'Eglise résulte donc d'une usurpation, il faut qu'elle soit soumise à l'Etat. Mais d'où vient le pouvoir de l'Etat? La vieille tradition féodale eût répondu: de l'épée, de la guerre menée victorieusement par les ancêtres du prince. L'enseignement des docteurs des écoles ecclésiastiques répondait: de Dieu, qui délègue aux rois leur puissance, et les papes ajoutaient: par l'intermédiaire de saint Pierre. Le *Defensor pacis*, en une audace saisissante, répond: du peuple, de la « majorité des citoyens qui promulguent la loi ».

Peuple, liberté, citoyens, loi, majorité, ces mots — et les mots de vertu, d'ordre, de bonheur devaient bientôt leur faire écho — sonnaient comme les maximes des inscriptions romaines. Marsile de Padoue les avait lus d'abord dans Tite-Live. Et si des armes les accompagnaient encore de leur fracas, c'étaient celles des licteurs et des légionnaires, et non plus des croisés. Ces idées cheminèrent. Pétrarque les enrichit de toute sa connaissance des classiques. Et dans le troisième quart du XIVe siècle, le roi de France Charles V voulut apparaître à son peuple sous les traits d'un souverain sage. On dut savoir qu'il réfléchissait dans sa chambre aux livres, qu'il vivait entouré de savants, que l'hiver il s'occupait « souvent de lire belles histoires des Saintes Ecritures ou des faits des Romains ou moralités des philosophes jusqu'à l'heure du souper ». Pour lui, on traduisit la *Politique* d'Aristote et on construisit, dans le *Songe du Verger*, une théorie de la souveraineté royale exercée pour le bien de la *res publica*, guidée par des conseils d'hommes de mesure et de prudence. « Quand tu peux te retraire de la cure et de la grande pensée que tu prends pour ton peuple général et pour la chose publique, secrètement tu lis et fais lire aucune bonne écriture ou doctrine »: le roi ne mène plus lui-même les combats, il en charge un connétable. Revanche ici du clerc sur le chevalier, mais d'un clerc laïcisé et averti des « faits des Romains ».

A cette puissance qui se proclamait naturelle et disait s'appuyer sur le peuple, à ce pouvoir devenu civil, convenaient de nouveaux attributs, de nouvelles figures symboliques. Le cheval, toujours, — à condition qu'il fût celui de Constantin ou de Marc-Aurèle. Non plus la tour. Or, la Rome antique proposait d'autres moyens d'honorer le souverain et de l'ériger dans sa puissance. Les artistes du sud italien les avaient naguère exhumés du passé pour honorer l'empereur Frédéric II. Quand le pape Boniface VIII, lors du jubilé de 1300, attira, par la promesse des indulgences, tout le peuple chrétien dans la ville des Césars et vers le siège apostolique, il invita les meilleurs artistes d'Italie à établir de tels emblèmes autour de son trône. Il fit dresser son effigie de pierre dans les cités conquises en son nom. Cette nouvelle image de la puissance résidait en effet dans la figure triomphante du prince vivant, dans sa statue. En fait, les statues ressemblantes d'hommes et de femmes qui, au cours du XIVe siècle, se substituèrent aux portails des églises à celles des prophètes et des apôtres ou de la reine de Saba, celles qui, sur les tombeaux, vinrent surmonter les gisants, figuraient dans leur majesté les maîtres des seigneuries et les gens de leur maison. L'effigie de l'empereur Henri VII parut de la sorte très tôt en l'abside de la cathédrale de Pise. Non loin de là, celle de ses quatre conseillers montèrent la garde auprès de sa sépulture. Charles V se fit représenter entouré de son épouse et de ses enfants mâles, sur le nouvel escalier du Louvre. A l'entrée du pont Charles, à Prague, trônèrent les rois de Bohême. La reine Isabeau de Bavière domina de ses grâces souveraines et de tous les charmes de son corps la grande cheminée du palais de Poitiers.

*

Face à la statue de l'empereur se dressait à Pise la statue, non point d'une dame, mais d'une puissance abstraite, presque d'une déesse: celle de la ville. Il appartenait en effet aux républiques urbaines d'exalter la face civile de la puissance, dont les juristes avaient découvert les traits dans le droit de l'ancienne Rome. Les plus évoluées de ces républiques, celles d'Italie centrale, se plaisaient à évoquer leur origine romaine. Associations jurées de citoyens égaux en théorie, et qui tenaient à tour de rôle les magistratures, elles menaient une politique militaire active et volontiers agressive, mais elles en confiaient l'exécution à des mercenaires gagés. L'ordre, favorable au commerce et à la prospérité de tous, leur apparaissait fondé sur la concorde, sur la liberté, sur une fidélité mutuelle et sur l'amour commun de la cité. Il fallait s'unir pour que rayonnât la gloire de la ville. Cette gloire se manifestait par des entreprises monumentales, poursuivies à deniers communs, et que l'on confiait à des artistes choisis par concours. En ces actes collectifs de prestige survécurent quelques-uns des symboles militaires de la puissance. Carrés, massifs, aveugles en leur base, accueillant peu à peu l'arabesque en leur sommet, les clochers des collégiales et les beffrois des maisons communes qu'élevèrent au plus haut les municipalités de l'Europe du Nord, étaient des tours, semblables à celles des châteaux princiers. Les palais civiques des cités toscanes, ceux des podestats, délégués de la puissance impériale, n'étaient autres que des maisons romaines, à cour intérieure, qui s'étaient commuées en forteresses et qui s'érigeaient en tours vertigineuses. Et les lignages patriciens voulurent élever chacun une tour semblable. Il parut aussi convenable, pour honorer les condottieri victorieux, de les figurer en soldats. Leurs effigies peuplèrent les places et les murs des salles communales de toute une cavalerie casquée. Une part au moins du nouvel art urbain reniait pourtant ces emblèmes guerriers. Sous la tour de la Commune et près des loggias neuves coulaient, sources de paix, des fontaines civiques. Les neuf Preux de l'imaginaire de chevalerie ornaient encore celle de Nüremberg, décorée dans le dernier quart du siècle. Alors que depuis longtemps, sur la fontaine qui lui fut commandée en 1278 par la commune de Pérouse, Nicola Pisano avait mis en place les éléments d'une nouvelle iconographie du civisme. Les patriarches, les saints, les signes du Zodiaque, les symboles des mois et des arts libéraux procèdent encore ici de la scolastique des cathédrales; mais près d'eux se tiennent la Louve allaitant Romulus et Rémus, et la double effigie de Pérouse et de Rome, *caput mundi*. Quelques années plus tard, au soubassement du campanile de Florence, la sculpture célébrait le Travail et le Bon Gouvernement, garants de l'ordre et de la paix.

Tout est perdu des premières fresques italiennes qui glorifièrent les majestés urbaines. Il ne reste rien de l'horoscope de la ville de Padoue que Giotto figura au Palais de la Commune en transcrivant fidèlement un programme scientifiquement élaboré par un maître de l'université. La plus ancienne de toutes les célébrations de cette sorte que l'on conserve encore aujourd'hui est celle qu'exécuta Ambrogio Lorenzetti, entre 1337 et 1339, sur la commande de la République siennoise. Elle demeure la plus complète et la plus riche d'expression. La commune avait appelé précédemment Simone Martini à illustrer l'extérieur du Palais civique par des histoires romaines. Elle voulut aussi, pour aider les magistrats à rester toujours dans la voie droite, tenir constamment sous leur vision l'image des vertus qu'ils devaient pratiquer et celle des conséquences de leurs actes politiques. Elle décida donc de soumettre à leur méditation les deux allégories antagonistes du Bon et du Mauvais Gouvernement. A Ambrogio revint la tâche de donner par la peinture, dans la Salle du Conseil, une figuration persuasive des concepts aristotéliciens que proposait la rhétorique de l'école. La pensée des laïcs de ce temps ne pouvait en effet s'élever jusqu'aux idées abstraites que par l'entremise de l'allégorie. Il fallait donner à ces idées forme humaine, un visage, un vêtement, des insignes, et s'efforcer de les faire vivre, pour persuader. Les figures allégoriques remplissent donc, de leur morne cohorte, les poèmes didactiques du XIVe siècle. Elles paraissent dans toutes les scènes mimées qui voulaient transmettre une image convaincante d'une théorie conceptuelle. Costumées comme elles, elles côtoyaient les figures des saints. Elles encombrent toute une province de la peinture profane.

Dans la Salle du Conseil de Sienne, le Mauvais Gouvernement apparaît sous les traits d'un prince du Mal, qu'escortent des puissances de confusion, le Désordre, l'Avarice, la Vaine Gloire, la Fureur, et qui foule aux pieds la Justice. Du Bon Gouvernement se développe en contraste le triomphe. Il trône en majesté, revêtu des attributs civils d'un souverain. Il porte le visage barbu des empereurs, et la Louve à ses pieds allaite Romulus et Rémus. Pique dressée, une garde de chevaliers l'entoure. Dans sa gloire, il occupe la place même de l'Eternel jugeant les bons et les méchants : à sa gauche, enchaînés, prisonniers, les ennemis de la Commune, tous les mauvais semeurs de troubles que sa victoire réduit en servitude; à sa droite, la théorie sereine et heureuse des vingt-quatre conseillers. Comme le saint Thomas triomphant de l'imagerie dominicaine, il règne, assisté d'un conseil de figures allégoriques, celles non point des neuf Preux, mais des neuf Vertus majeures. Dans le ciel, dominantes et fort lointaines en vérité, les trois Vertus théologales. Autour de sa chaire, assises, couronnées comme lui mais moins hautes, et dans la posture même des rois qui, sur les images symboliques des majestés impériales, constituaient la cour des vicaires de Dieu, siègent les six Vertus de la vie terrestre, Force et Magnanimité, Tempérance et Prudence, la Justice enfin et, admirable oisive, la Paix. Plus loin, sur un même trône et dans la même frontalité hiératique de majesté, la Justice reparaît, inspirée par la Sagesse. Elle châtie les mauvais, couronne les bons et, commutative, répartit dans l'équité les biens du monde. Car la seigneurie collective qui commanda cette fresque reposait sur le *popolo grasso*, lequel tenait le gain bien acquis pour légitime. Des deux plateaux équilibrés de sa balance partent les deux cordes que tresse, en symbole d'accord, la Concorde et qui, rejointes, réunissent par le même lien d'amitié le corps des magistrats. Ainsi prend figure l'ensemble du concept.

C'est au contraire dans le concret des choses vécues et senties par l'expérience quotidienne que rayonnent sur la ville et sur sa campagne les effets de ces Vertus. En contre-bas se développe donc le spectacle du monde. Ambrogio Lorenzetti ne le renferme pas dans le cadre symbolique d'une architecture de chapelle. Il l'établit sur la scène d'un théâtre. Car la politique, elle, est libre de liturgie. Tout un peuple travaille en paix à la conquête des richesses justifiées. Ce labeur, minutieusement décrit, amasse en effet les biens nécessaires pour que soit acquise la sécurité et pour que le peuple puisse s'avancer dans la justice. Cependant, l'effort vulgaire du paysan et des marchands aboutit aux joies de la noblesse, aux activités gratuites, à l'essaim dansant des demoiselles, à la chevauchée courtoise de la chasse au faucon. Mais, ce qui finalement émane de cette allégorie civique de la puissance, c'est l'une des plus magnifiques représentations de la nature sensible qu'ait peintes l'Occident. C'est le premier des paysages vrais.

L'admirable silhouette du château de Mehun-sur-Yèvre, l'une des résidences de délassement du duc Jean de Berry, et celle des flèches d'église qui jaillissent à l'horizon des villes allemandes, l'admirable paysage construit par Ambrogio Lorenzetti, et toutes les tours de palais communaux, patriciens ou seigneuriaux dont il figure l'exact profil, expriment, les unes et les autres, mais par le plus saisissant contraste, l'esprit qui, dans l'Europe du XIVᵉ siècle, gouverna l'évolution de l'architecture militaire, où s'affirmait la volonté de puissance des aristocraties.

Deux langages. Ici l'espace irréel des mythes de courtoisie, l'élan vertical de l'ascension mystique, la courbe linéaire qui entraîne la composition dans les volutes d'une rêverie poétique. Là, une marqueterie rigoureuse qui propose à la vision un univers compact, solide et profond. Mais aussi deux cultures. La tour du prince français et les clochers des collégiales se terminent dans le jeu ; dans leurs sommets, elles masquent l'appareil de protection sous le vêtement fleuri des fêtes ; elles s'apprêtent pour les aventures fabuleuses où se perdaient dans des forêts imaginaires les chevaliers de la Table Ronde, ou bien s'ornent des parures d'une nature exubérante qui montre au regard du fidèle la profusion d'un Dieu répandu dans la Création. Image du gaspillage chevaleresque, elles portent sur elles pour les répandre alentour tous les rutilements d'un trésor. Ce trésor, les tours des familles patriciennes de Sienne, la tour de la commune de Gubbio, les murailles qui cernent la résidence du tyran dans les cités de l'Italie du Nord, l'enferment jalousement à l'abri des haines voisines. Elles sont fortes, assises, mais méfiantes. Elles s'entrouvent en quelques loges pour la joie de respirer, mais elles rassemblent la compagnie familiale, la communauté urbaine ou la bande armée du maître de la seigneurie pour un effort collectif de conquête, économique ou militaire, et de concurrence. Elles se tendent afin de surmonter des richesses rivales.

LES FRÈRES DE LIMBOURG : LE CHÂTEAU DE MEHUN-SUR-YÈVRE, MINIATURE DES TRÈS RICHES HEURES DU DUC DE BERRY - VERS 1415.
CHANTILLY, MUSÉE CONDÉ, MS. 1284.

LA FLÈCHE DE LA CATHÉDRALE SAINT-ÉTIENNE À VIENNE.

LA FLÈCHE DE LA CATHÉDRALE D'ULM.

LE PALAIS DES CONSULS À GUBBIO (OMBRIE).

LE PALAIS DUCAL A MANTOUE (LOMBARDIE).

6

LE PALAIS

Au XIVe siècle l'indépendance féodale est morte, jugulée par les princes. Le monde s'est rétréci, et la fin des croisades a réduit l'aventure militaire de la chevalerie à se dérouler à l'intérieur de l'Europe. Cent ans plus tôt, le jeune Edouard III d'Angleterre fût allé chercher la gloire en Orient comme l'avait fait Richard Cœur de Lion, son ancêtre: il partit piller la France. Désormais, la soif d'exploits s'assouvit dans l'entreprise politique. En effet, la chrétienté s'est morcelée en Etats: quelques royaumes mais aussi des principautés plus menues, et toutes ces républiques jalouses que forment en Italie et en Allemagne les communes urbaines. Ces Etats s'affrontent. Autour des trônes et des magistratures municipales, les discordes s'avivent, haines familiales et rivalités de clans. Voici pourquoi l'Occident tout entier retentit du fracas des gens de guerre, au long d'un siècle qui connut un bouleversant progrès des techniques militaires et de l'art des fortifications. Les princes donc, et les villes, vivent à l'abri de murailles. Le château cependant n'a pas pour seule mission de protéger; il manifeste l'autorité des rois et des seigneurs. Un hobereau de village veut-il marquer ses distances à l'égard des paysans ses voisins: il construit une tourelle près de sa maison. La volonté de prestige plus que le danger gardait au palais des souverains, comme à celui des communes, l'aspect d'une forteresse.

Lorsque les papes surent qu'ils prolongeraient leur séjour dans Avignon, ils décidèrent d'y bâtir une demeure digne de leur puissance. Benoît XII avait été moine; il imposa, près de Notre-Dame-des-Doms, le plan d'un édifice ordonné comme un cloître. Etroite, austère à la cistercienne, la résidence pontificale dressait vers l'extérieur des remparts nus, ceux d'une tour de défense. Clément VI, plus soucieux de faste, agrandit le palais. Il adjoignit un nouveau corps, établit en son centre une vaste cour, propre aux réceptions et aux parades. En haut d'un escalier ménagé pour le déploiement des cortèges, il fit ouvrir la large arcature ornée où le Saint Père pouvait paraître en monstrance solennelle. L'une des tours abrita, pour le logis privé, des chambres confortables et décorées de fresques. Mais le palais demeura durement fermé sur le dehors comme un poing brandi. Non seulement parce que les grandes compagnies, dont les capitaines se promettaient en ricanant d'aller prendre un jour l'or du pape, rôdaient dangereusement autour du Rhône, mais parce que le souverain pontife tenait, au grand scandale des mystiques, à ce qu'on le considérât comme l'un des princes de ce monde, et le plus fort. Le palais d'Avignon — comme Karlstein, comme le vieux Louvre, comme le château de Bellver, édifié pour le roi de Majorque — ménage au cœur de l'édifice, pour la joie des fêtes, un espace environné de loggias. Mais il enserre la personne du souverain d'une couronne de majesté massive.

Au XIVe siècle, la silhouette d'un château princier dominait la plupart des grandes cités d'Europe. Elle établissait sur les bourgeoisies la puissance de l'Etat. A Prague, devant la ville des marchands, le pont que l'empereur Charles IV avait fait construire sur la Vltava pour mener à son château du Hradcin, se fermait par une porte fortifiée. Organe de défense, mais surtout manifestation d'autorité: ses sculptures monumentales présentaient à tout venant l'image des rois de Bohême. Certaines communautés urbaines avaient pourtant pu s'emparer d'une part, parfois de la totalité du pouvoir politique; elles voulurent, elles aussi, affirmer leur indépendance dans des bâtiments de prestige. Longtemps ce furent encore des églises. Les flèches de ces sanctuaires citadins, construits et ornés à frais communs par les corporations, rivalisaient de hauteur. De génération en génération, les oligarchies patriciennes ajoutaient une arcature, des revêtements de marbre, un ensemble de sculptures et montraient ainsi leur richesse, au sein de l'espace sacré, par la profusion du décor. Dans ce lieu même, elles firent représenter les premiers attributs de la puissance urbaine. En 1310,

la commune de Pise commande à Giovanni Pisano une effigie symbolique de la ville. L'artiste conçoit celle-ci comme une caryatide couronnée; il lui fait nourrir deux enfants, puisque la Louve avait allaité Romulus et Remus; il l'installe dans la majesté un peu lourde de la tradition romaine, soutenue par l'aigle de l'Empire, escortée par les quatre Vertus cardinales, dont l'une, la Prudence, est nue comme une Vénus antique. Mais il place son œuvre dans la cathédrale, en fait l'un des supports de la Tribune de l'Evangile.

Cependant, dans la première moitié du XIVe siècle, les villes libres de Germanie employaient déjà leurs finances à construire aussi des maisons communes; sièges de l'autorité publique, elles ressemblèrent aux demeures des princes: elles eurent forme de château. Tandis que l'effort fiscal des cités italiennes commençait à se détourner des édifices religieux, s'appliquant désormais à la création d'un espace proprement urbain et civique où se manifestât la gloire communale. En 1334, Giotto avait été chargé dans Florence d'une fonction générale de direction, qui lui confiait à la fois l'œuvre du Dôme et le soin du Palais municipal, des ponts et des murailles. Le campanile qu'il conçut appartenait davantage à la commune qu'à l'Eglise; il glorifiait à sa base les Vertus et les Travaux des citoyens.

Dans l'architecture des républiques patriciennes, l'élément central est double: un château et, tout auprès, une place. Le magistrat, comme les rois, délibère en effet dans une tour; celle-ci domine une étendue dégagée pour le rassemblement des milices et les réunions populaires. Le peuple de Gubbio enferma ses consuls dans une merveilleuse forteresse et la flanqua au prix d'efforts démesurés, d'une esplanade en balcon, qui n'était pas destinée au négoce: sur cette estrade, en plein ciel d'Ombrie, se déroulaient les rites du civisme. Quant aux Siennois, ils se résolurent à restreindre les plans de la cathédrale immense dont avaient rêvé leurs pères. Mais ils élevèrent, dans le demi-cercle de la place du Campo, un ensemble monumental qui montre la plus ancienne ordonnance urbaine de l'Europe chrétienne. Elle s'appuie sur le Palais de la Commune, dont on avait commencé la construction en 1298 et que surmonte la Mangia. Fine, d'une extrême élégance, cette tour demeurait cependant militaire: elle dressait sur la ville le symbole guerrier de la souveraineté.

LE PALAIS

1. Avignon, le Palais des Papes.

2. Vue photographique aérienne de Lucques.

3. Vue photographique aérienne de Sienne.

4. Sienne, la place du Campo et le Palais de la Commune.

2

3

NATURE

Piétiné par les hommes d'armes et décimé par les pestes, le XIVe siècle fut pourtant en Europe l'une des grandes époques de la chanson. Ces chansons sont volontiers pastorales et rustiques, et toujours printanières. On les a composées pour les jardins. Les filles dansent dans le pré sur leur rythme, et par la ronde des demoiselles aux robes parsemées de fleurs, la grâce des prairies voisines s'introduit dans l'univers minéral et cubiste de la Sienne de Lorenzetti. La joie mondaine trouve en vérité son plein épanouissement dans la nature, dans l'air des champs et des bois, et l'art qu'elle suscite dispose sur les murs des salles closes et sur les pages des livres un simulacre des plaisirs agrestes. Le rêve qu'il propose s'en va divaguant vers les campagnes et vers les forêts familières.

La culture chevaleresque, en effet, avait pris naissance dans un monde qui ignorait à peu près les villes. La richesse seigneuriale reposait sur la terre et sur le travail paysan; les princes voyageaient sans cesse de domaine en domaine, et tenaient leurs cours solennelles en pleine campagne. On sait que, pour rendre la justice, saint Louis aimait à s'asseoir sous un chêne, et les roides voluptés que la guerre procurait aux chevaliers du XIVe siècle tenaient pour une large part à ce que l'art de combattre se développait comme un sport de plein vent. On menait le combat par les vignes, à la lisière des bois, et dans le parfum de la terre foulée. Les batailles commençaient dans la rosée et s'échauffaient peu à peu dans la montée du soleil. Aussi, lorsque la tour desserra ses ceintures de murailles et s'apprêta pour abriter les douceurs de la vie courtoise, elle s'ouvrit aussitôt sur un jardin. Le pape en Avignon eut son verger en l'enceinte du palais, Karlstein s'éleva loin de Prague, et Windsor loin de Londres. A Paris, parce que le vieux palais de la Cité, parce que le Louvre lui-même se trouvaient trop distants des verdures, Charles V fit acheter des jardins dans le Marais pour y bâtir l'hôtel Saint-Paul. Afin d'y vivre comme des nobles, dans le loisir rural, tous les marchands enrichis voulurent aussi posséder un domaine hors de l'enceinte de leur cité. Ainsi, parce qu'elle avait placé la figure du seigneur féodal au centre de son idéal de bonheur terrestre, la civilisation d'Occident, que pourtant entraînaient et gouvernaient de plus en plus les mœurs, le travail et les goûts urbains, ne devait plus échapper aux séductions des ébats rustiques. Or, il se trouvait que Virgile redécouvert les avait déjà célébrés. L'humanisme naissant se mit donc à chanter les joies bucoliques, à célébrer le bonheur des bergers, et il incita ses adeptes à fuir le luxe frelaté des cours pour la simplicité des plaisirs champêtres. Il établit, lui aussi, loin des villes, les lieux ordonnés des conversations oisives. La compagnie heureuse du *Décaméron* ne se réunit pas à Florence, et Pétrarque fuyait Avignon pour la Fontaine de Vaucluse. Il n'est pas jusqu'aux attitudes religieuses qui ne tendissent, parmi les gens du monde, à se transporter à l'air libre. Les seuls personnages qui, dans les romans courtois, portaient un message chrétien étaient des ermites, retirés avec les enchanteurs dans les solitudes sylvestres. Nulle part peut-être l'optimisme chevaleresque n'a mieux rencontré son Dieu qu'au sein de la nature vierge. Pour un chrétien qui se dégage des liturgies et tend à atteindre le pur amour, Dieu, dit Maître Eckhart, « resplendit en toutes choses, car toutes choses ont pour lui le goût de Dieu, et il voit Son image partout ». L'illumination mystique transporte l'âme au centre d'un verger, clos de murs mais rempli de fleurs, d'oiseaux et du chant des sources. L'Eglise des cathédrales avait couronné la Vierge. Elle l'avait présentée au peuple comme une reine qu'entouraient une cour d'anges et les pompes liturgiques de la puissance. Le XIVe siècle la ramena vers soi. Il la plongea, certes, dans la douleur rédemptrice des hommes prosternés devant le cadavre de leur Dieu mort, mais il en fit aussi l'image d'une femme heureuse. La Vierge exultante de la Visitation, de la Nativité et des Enfances du Christ, siège environnée de bouquets, et de ces mêmes couronnes que

Jeanne d'Arc, avec ses compagnes, allait les soirs d'été suspendre aux arbres des fées. Assise sur l'herbe du jardin, elle trône comme la reine d'une nature réconciliée.

Lorsqu'ils parlaient de Nature, les moines et les prêtres de l'âge liturgique évoquaient l'idée abstraite d'une perfection inaccessible aux sens. Pour eux, la nature était la forme conceptuelle en laquelle la substance de Dieu se révèle. Non point cependant les aspects transitoires et factices que la vue, l'ouïe, l'odorat peuvent saisir. Non point les apparences incertaines et désordonnées du monde — mais ce qu'avait été le Jardin de Paradis pour Adam avant sa faute: un univers de paix, de mesure et de vertu, mis en ordre par la raison divine et qui échappait encore aux troubles et aux déchéances introduits par les puissances du sexe et de la mort. En leur esprit, *natura* s'opposait à *gula*, à *voluptas*, c'est-à-dire à la nature physique dévoyée, rebelle aux commandements de Dieu, rétive et pour cela condamnée, pour cela méprisable, pour cela indigne d'attention. De la nature, les intellectuels du XIIe et du XIIIe siècle se formaient une idée spirituelle et non charnelle. Pour en percer les mystères, observer les choses d'ici-bas ne leur pouvait donc servir de rien. Il fallait au contraire aller par les voies du raisonnement, de déduction en déduction, d'abstraction en abstraction, jusqu'à rejoindre la raison de Dieu. Leur physique était toute conceptuelle, et voici pourquoi leur pensée s'était montrée si accueillante au système d'Aristote.

Au départ de la physique péripatéticienne se plaçait bien l'observation. Le cheminement de la connaissance tendait toutefois à s'élever, par une démarche toute semblable à celle de la logique scolastique, du particulier, de l'accidentel, au plus général, et à atteindre le concept. La science dépassait ainsi peu à peu la surface pour parvenir, au-delà du mouvant et du changeant, jusqu'à la substance, soutien et cause de tous les effets observés. Elle arrivait de la sorte aux formes, par trois degrés successifs d'abstraction, physique, mathématique, puis métaphysique. Dans Aristote, la physique, science de ce qui, dans l'univers, est encore changement, se trouvait de la sorte strictement séparée de la mathématique, connaissance de ce qui, dans l'univers, devient stable, lorsque l'abstraction atteint au niveau supérieur où le mouvement s'élimine. Quand les traducteurs de l'arabe la leur eurent révélée, les maîtres et

les étudiants ès-arts de l'Université de Paris apportèrent donc une adhésion enthousiaste à la philosophie aristotélicienne. Ils se laissèrent séduire par cette cosmologie complète, hiérarchisée, parfaitement rationnelle, et par la science de l'homme microcosme qui lui était symétriquement conjointe. Cette conceptualisation du monde convenait admirablement à l'élucidation d'une nature en qui les intellectuels voyaient la forme de la raison divine. Aussi, dominé par des hommes qui méprisaient le charnel, qui le disaient infecté de péché, qui reniaient l'observation directe et l'expérience, et qui alimentaient leur soif de connaître au syllogisme et à la raison pure, l'art du premier gothique, tout comme l'art roman, ne pouvait-il être figuratif. Il fut abstrait. Il ne représentait pas un arbre, mais l'idée d'un arbre, de même qu'il ne représentait pas Dieu, qui n'avait pas d'apparence, mais l'idée de Dieu.

Dieu pourtant s'était incarné. On sait que dans l'art des cathédrales la figuration de l'essence des êtres créés s'est peu à peu rapprochée, dans le courant du XIIIe siècle, de celle de leurs apparences. On put bientôt identifier dans la flore des chapiteaux les feuillages de la laitue, du fraisier et de la vigne. La lente propagation du nouveau christianisme — celui qu'avait prêché saint François — et qui, dans un optimisme parent de la joie chevaleresque, proposait une réhabilitation du monde charnel, de frère Soleil et des autres créatures, contribua pour beaucoup à ramener vers le concret l'attention des hommes de culture. Dans l'Université de Paris, à la cour de saint Louis, les Frères Mineurs étaient nombreux et influents: ils parlaient d'une Nature visible, qui pourtant n'était plus coupable et vers qui pouvaient se tourner les regards. Mais intervinrent aussi, au sein même de l'école, certaines réticences à l'égard du système d'Aristote, qui n'apparaissait pas tout à fait sans fissure. La logique scolastique s'était forgée pour mettre en évidence les contradictions des autorités et pour les résoudre. Elle découvrit donc bientôt que la cosmologie d'Aristote ne concordait pas exactement avec d'autres systèmes, avec celui de Ptolémée que révélaient les traductions de l'*Almageste*. Pour réduire ces dicordances, pour décider entre l'opinion adverse des auteurs, force était de considérer le monde. Au XIIIe siècle, les astronomes de Merton College à Oxford, ceux de l'Université de Paris, furent les premiers savants d'Occident à recourir délibérément à l'expérience.

GRANDES HEURES DU DUC DE ROHAN: LE MOIS DE MAI, MINIATURE DU CALENDRIER - VERS 1418.
PARIS, BIBLIOTHÈQUE NATIONALE, MS. LAT. 9471.

LE TRIOMPHE DE LA MORT, DÉTAIL: LE JARDIN D'AMOUR - FRESQUE - VERS 1350.
CAMPO SANTO DE PISE.

LA PÊCHE - FRESQUE DE LA CHAMBRE DE LA GARDE-ROBE - 1343-1347.
AVIGNON, PALAIS DES PAPES.

Côment nature voulant orendroit plus
que onques mes reueler z faire essaucier
les biens z honneurs qui sont en amours
vient a Guille de machaut z li ordene z en
charge afaire sur ce nouueaux dis amou
reux. et li baille pour li conseiller z aidier
a ce faire trois de ses enfans. Cest asauoir
Sens. Retorique z musique. et li dit
par ceste maniere.

IE nature par qui tout est fourme
quenque a ca ius z sur terre z en mer
ueng et a toy Guille qui fourme
ai a part pour faire par toy fourmer
nouueaux dis amoureux plaisans
pour ce te fail et trois de mes enfans
qui ten diront la pratique
et se tu mes deuls trois bien cognoissans
nome sont. Sens. Retorique z musique.

ŒUVRES DE GUILLAUME DE MACHAUT: GUILLAUME DE MACHAUT REÇOIT NATURE - VERS 1370.
PARIS, BIBLIOTHÈQUE NATIONALE, MS. FR. 1584, FOLIO E.

208

LES FRÈRES DE LIMBOURG : LE MOIS DE DÉCEMBRE, MINIATURE DU CALENDRIER DES TRÈS RICHES HEURES DU DUC DE BERRY - VERS 1415.
CHANTILLY, MUSÉE CONDÉ, MS. 1284.

209

Paris s'efface au seuil de ce que les historiens de la culture européenne ont appelé la Renaissance. Rome également. Les avant-gardes de l'art nouveau s'établissent à Florence et en Flandre. Simple hasard de la politique: la papauté romaine a fléchi dans les chaos du schisme; les discordes familiales, l'émeute, la guerre étrangère ont disloqué et dispersé la cour des Valois. Ce transfert accidentel n'a cependant pas dégagé la création artistique des cadres du mécénat princier qui, pendant tout le XIVe siècle, l'avait gouvernée. Certes, les villes les plus prospères du monde couvraient alors la Toscane et la Flandre. Mais Paris, Avignon, Milan, où s'était naguère épanoui l'art de courtoisie, avaient été de leur temps les carrefours majeurs du commerce, et les plus peuplées des métropoles. Comme les frères de Limbourg, Jean van Eyck est un peintre de cour, le valet de chambre d'un duc. Et s'il lui arrive d'exécuter les commandes des hommes d'affaires, ceux-ci sont comme lui au service d'un prince et se targuent d'appartenir à sa maison. Ils imitent les goûts de leur maître. Pour que l'art flamand jusqu'ici provincial vînt se poster brusquement sur le front avancé des conquêtes picturales, il fallut que ceux des princes des fleurs de lys qui avaient hérité la gloire et la fortune des rois de France, les ducs de Bourgogne, établissent en Flandre leur puissance, y tinssent leur cour et rassemblassent là les meilleurs artistes qui n'avaient plus d'emploi à Paris. Et le grand siècle florentin a commencé lorsque se furent amortis les désordres introduits dans l'aristocratie urbaine par les grandes mortalités, lorsque l'élite du patriciat fut devenue de nouveau une société assise, un groupe d'héritiers élevés dans la culture, et dans une culture d'inspiration chevaleresque; Florence devint le foyer rayonnant de l'art nouveau au moment même où la république, insensiblement, se transformait en principauté, où la seigneurie glissait aux mains d'un tyran, que ses fils s'efforcèrent de présenter plus tard comme le plus magnifique des mécènes. A Bruges, en Toscane, les prêtres ne détenaient pas moins de puissance en 1420 qu'ils n'en avaient auparavant. Ni davantage. L'art demeurait le reflet de l'idéal du prince. Le transfert géographique n'a pas signifié rupture. Du moins a-t-il interrompu l'effort de la synthèse gothique. Il accusa deux tendances divergentes qui, désormais, s'opposèrent plus vigoureusement.

Autour des ducs de Bourgogne, à Dijon puis aux Pays-Bas, l'audace des sculpteurs précéda celle des peintres. A Florence aussi. De même que, quelque cent années plus tôt, Nicola Pisano avait frayé les voies de Giotto. Mais toutes les recherches aboutissent à la peinture, à celle de Van Eyck et à celle de Masaccio. Van Eyck pousse jusqu'à sa plus fine acuité la vision analytique de l'ockhamisme, attentive à la singularité de chaque objet. Pourtant, après les frères de Limbourg, il parvient à rassembler ses observations multiples, à réunir la diversité des apparences visibles dans un univers dont le principe lumineux des théologiens d'Oxford fait la cohérence. Cette lumière, qui est le souffle de l'Esprit, la lumière des mystiques de Groenendael, et que déjà les peintres de Cologne avaient tenté d'établir au sein des jardins clos, refoule la part de rêve de l'évasion chevaleresque. Le jeu des ombres enveloppantes, les échanges de reflets entre les miroirs et les pierres précieuses dans l'espace paisible des chambres recluses, les irisations qui naissent à l'air libre de la pénétration lumineuse au sein de l'atmosphère, installent dans la vérité et l'unité le spectacle du réel. Tandis que Masaccio, pour exprimer un christianisme stoïque que ne satisfont plus les rêveries ni l'illumination mystique, un christianisme d'austérité, d'équilibre et de maîtrise de soi, retrouve au contraire l'accent de majesté de Giotto. Il expulse les ornements superflus de l'arabesque, il ne s'attarde pas aux accidents des phénomènes ni aux modulations de la lumière. Dans son pays, les architectes, sensibles à la sobriété des masses et aux prestiges de la pierre nue, mesuraient non seulement les objets mais l'espace, c'est-à-dire le vide, et l'ordonnaient en simplicité géométrique. Comme eux, comme Donatello, qui revêt le visage de ses Prophètes de tous les tourments de l'homme, Masaccio figure la *virtù*, dont les humanistes avaient retrouvé le sens par les lettres romaines, dans la puissance monumentale des statues de l'Empire. Et la réalité qu'il peint est, à l'opposé de la vision de Van Eyck, celle de l'abstraction, celle des concepts d'Aristote. Il montre un univers logique, et son art le dispose dans la clarté de la raison, qui est aussi mesure et calcul.

Pourtant, l'ockhamisme de Van Eyck et le péripatétisme de Masaccio se rejoignent dans un sens commun de la grandeur de l'homme. L'un et l'autre ont placé l'homme au centre de leur création. L'homme nouveau: Adam et Eve. Dans le corps d'Eve, Van Eyck découvre et pénètre par le regard les réalités savoureuses de la nature sensible. Il compose de ses collines douces, des ombres tendres qui les caressent, de ses végétations exubérantes, un paysage merveilleux, plus persuasif que ne l'est celui de l'*Adoration de l'Agneau*. Et le couple douloureux de Masaccio propose à la méditation religieuse, en place de Jésus cloué sur la Croix, l'image de l'homme crucifié sur son destin.

A ce moment de l'histoire des arts, la véritable nouveauté siège cependant ailleurs encore. Jean van Eyck travaillait sur commande. Il avait exécuté le portrait des chanoines, des prélats princiers, des magnats de la finance qui dirigeaient à Bruges les filiales des grandes firmes florentines. Un jour, il décida de peindre le visage de son épouse. Non point sous les traits d'une reine, d'Eve ou de la Sainte Vierge: dans sa simple vérité. Or cette femme n'était pas une princesse, et son effigie n'avait de prix que pour son auteur. Ce jour-là, l'artiste de cour accédait à l'indépendance. Il avait conquis le droit de créer librement, pour son plaisir. A ce moment, dans Florence, alors que Ghiberti s'apprêtait à rédiger sur son œuvre ses *Commentaires,* comme César sur ses victoires, on pouvait entrevoir le propre visage de Masaccio parmi ceux des apôtres du *Tribut*. Un visage d'homme, mais le visage aussi de la liberté de l'artiste.

A la fin du XIVe siècle, les hommes riches qui guidaient le travail des artistes aimaient à identifier les objets dans l'œuvre peinte ; et le nominalisme ockhamien enseignait d'autre part qu'il est vain de vouloir connaître l'univers autrement que par les sens et par l'observation particulière de chaque créature. Au terme d'un long effort pour traduire les apparences sensibles, l'œuvre des Limbourg parvenait à la vision totale. En jouant à travers l'épaisseur de l'atmosphère, la lumière rompait en profondeur la toile de fond du théâtre ; elle ramenait à l'unité les regards discontinus portés sur les divers éléments du décor. Or, voici qu'il devenait possible de réaliser plus parfaitement encore cette synthèse visuelle en employant l'huile comme véhicule de la couleur, et la plate peinture l'emportait désormais sur l'art des enlumineurs. Sur le corps d'Eve, que Van Eyck traite comme un paysage complexe, le glissement onctueux de la lumière vers l'ombre approfondit l'analyse du grain extérieur de chaque objet. Il explore attentivement la matière, mais il relie aussi chacune des expériences sensorielles ; il fond leur dispersion dans un ensemble cohérent, étendu dans les trois dimensions du monde sensible — de même que l'illumination de l'Esprit réunit dans l'ineffable la communauté de toutes les âmes, de même que la lumière divine établit la réalité de l'univers dans une création continue.

Alors que, pour Masaccio, la peinture est bien déjà « chose mentale ». Ses fresques sont filles de l'architecture, d'un art de calcul et d'abstraction qui mesure l'espace et le crée, qui conquiert l'univers par l'intelligence et qui ne se soucie nullement de ressemblance. L'édifice réalise un concept, par le recours aux sciences mathématiques et par le jeu de la raison. Dans Florence, la nouvelle architecture, celle de Brunelleschi, repousse l'ornement gothique, toutes les parures superflues ; elle tend à retrouver la pureté et l'équilibre de San Miniato. Dans la composition de Masaccio, l'élément majeur devient donc le vide, l'espace pur, abstrait. Il y place l'homme, présent par son corps. « Ce corps, » lira-t-on bientôt dans le Traité de la peinture *de Leon Battista Alberti, « tombera en poussière, mais aussi longtemps qu'il respire, le mépriser, c'est mépriser la vie. » Cette présence corporelle est bâtie comme un monument. Tous ces corps d'hommes — comme tous les visages que sculpte Donatello — sont établis dans la gravité, celle d'un christianisme tendu, qui refuse toute complaisance, se veut lucide, fondé en volonté et qui assume, en pleine sérénité, le tragique de la condition humaine.*

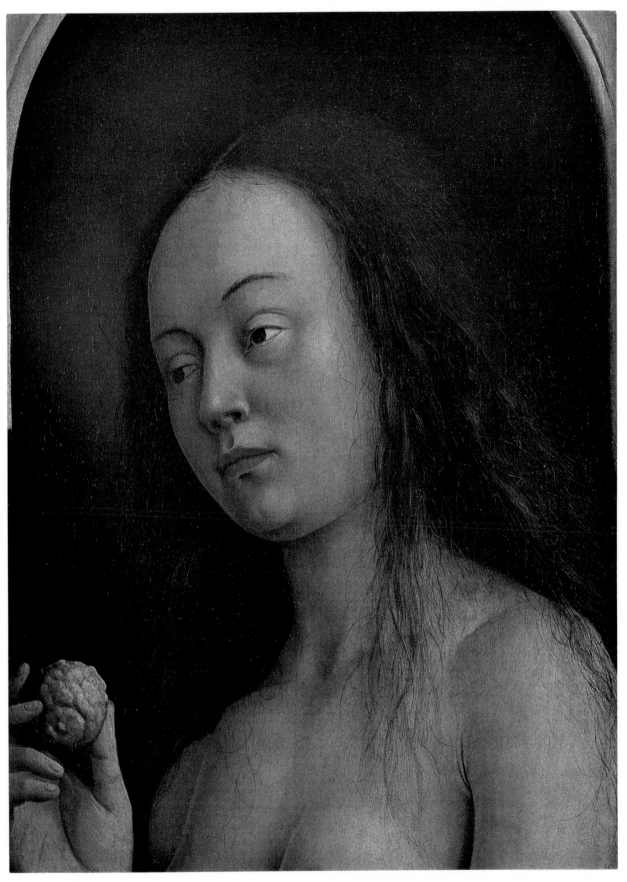

JEAN VAN EYCK (1385/90-1441) - ÈVE, DÉTAIL D'UN PANNEAU DU POLYPTYQUE DE L'AGNEAU MYSTIQUE - 1430-1432.
GAND, CATHÉDRALE SAINT-BAVON.

MASACCIO (1401-1429) - ADAM ET ÈVE CHASSÉS DU PARADIS, DÉTAIL - FRESQUE - 1426-1427.
FLORENCE, ÉGLISE DU CARMINE, CHAPELLE BRANCACCI.

DONATELLO (VERS 1386-1466) - LE PROPHÈTE JÉRÉMIE, DÉTAIL - MARBRE - 1423-1436 (?).
FLORENCE, MUSÉE DE L'ŒUVRE DE LA CATHÉDRALE.

TABLE DES ILLUSTRATIONS

TABLE DES MATIÈRES